Foghlaim agus Cleachtadh

Gramadach do Scoláirí Meánscoile

TOMÁS Ó MADAGÁIN

GILL EDUCATION

Gill Education
Ascaill Hume
An Pháirc Thiar
Baile Átha Cliath 12
www.gilleducation.ie

Is inphrionta é Gill Education de chuid M.H. Gill & Co.

Athchlódh an leagan seo den chéad uair i Meitheamh 2021

ISBN: 978-0-7171-91079

Cló churadóireacht bhunaidh arna déanamh in Éirinn ag Síofra Murphy
Cló churadóireacht le Carole Lynch

Agus an leabhar seo á chur i gcló, bhí gach seoladh idirlín beo agus bhí eolas cuí ar fáil ar na suíomhanna a bhain le topaicí an leabhair. Ní ghlacann Gill Education freagracht as ábhar ná tuairimí a léirítear ar na suíomhanna idirlín seo. Is féidir athrú teacht ar ábhar, ar thuairimí agus ar sheoltaí, agus níl smacht ag an bhfoilsitheoir ná ag na húdair air sin. Ba cheart stiúrthóireacht a dhéanamh ar dhaltaí agus iad ag breathnú ar shuíomhanna idirlín.

Gabhann na húdair agus an foilsitheoir buíochas leis na daoine a leanas as cead a thabhairt grianghraif a fhoilsiú

© Alamy: 33, 66, 181, 199; © Coláistí Chorca Dhuibhne: 198; © Freepik: 1B, 10, 13, 14, 23C, 27, 29, 34B, 36C, 40T, 42, 58C, 65, 75, 76, 83, 85, 86, 116, 123T, 125, 129T, 156, 163, 168, 169T, 182B, 185; © GAA: 203; © INPHO / Tom Honan: 196; © iStock / Getty Premium: 1T, 5B, 6, 7, 8T, 8C, 9, 12, 16, 17, 23T, 25, 26, 31, 34T, 34C, 36B, 38, 40C, 44, 45, 46, 49, 50, 51, 52, 55, 57, 58T, 59, 61, 62, 63, 64, 66, 67, 70, 71, 74, 78, 79, 89, 90, 94, 96, 97, 98, 99, 101, 104, 105, 107, 108, 109, 112, 115, 117, 118, 119, 121, 123B, 126, 127, 128, 129B, 131, 132, 135, 136, 138, 139, 142, 144, 145, 147, 150, 151, 152, 153, 157, 158, 161, 164, 167, 169C, 171, 172, 174, 175, 176, 177, 179, 181, 182T, 184, 187, 193, 194, 197, 200, 201, 202, 204; © Ladies' Gaelic Football Association: 19; © Pixabay: 5T, 18; © Shutterstock: 8B, 43; © Stephen McCarthy / Sportsfile via Getty Images: 155; © TG4: 95.

Clár

Réamhrá

Leabhar gramadaí é seo do dhaltaí iar-bhunscoile ina gcuirtear eolas ar fáil ar na gnéithe is tábhachtaí de ghramadach na Gaeilge. Leanann an leabhar cur chuige simplí agus éifeachtach: is féidir leis an dalta an riail a bhaineann leis an téarma a fhoghlaim agus cleachtadh a dhéanamh ar an riail ansin. Ag deireadh gach caibidile tá cleachtaí ann a chabhróidh le hullmhúchán na ndaltaí don tSraith Shóisearach agus don Ardteistiméireacht. Tá caibidil ar fáil ag deireadh an leabhair a bhaineann go díreach le ceist 6A agus ceist 6B den Ardteistiméireacht.

Leabhrán Freagraí

Chun tacaíocht a thabhairt don mhúinteoir ranga atá i mbun teagaisc tá leabhrán freagraí a chuireann na freagraí do gach ceacht ar fáil. Is féidir teacht ar an leabhrán seo ar líne ag www.gillexplore.ie.

Cur i láthair

Tá cur i láthair PowerPoint ar fáil do gach caibidil ar líne ag www.gillexplore.ie. Is féidir leis an múinteoir an cur i láthair seo a úsáid chun pointí gramadaí a shoiléiriú do na daltaí sa rang.

Cluichí ar líne

Tá cluichí gramadaí ar fáil ar líne ag www.gillexplore.ie. Cuirtear na cluichí seo ar fáil le spraoi a mhúscailt agus an topaic á plé.

Nóta buíochais

Ba mhaith liom mo bhuíochas a ghabháil le Mícheál Ó Madagáin a chuir moltaí luachmhara ar fáil. Le mo mháthair, Teresa agus m'athair, Tom Joe, as a gcuid cabhrach agus mé i mbun scíbhneoireachta. Ba mhaith liom mo bhuíochas a ghabháil le tuismitheoirí mo mhná céile, Marian agus Eamon Cregg, as a gcuid cabhrach maidir le haire a thabhairt don teaghlach. Ba mhaith liom mo bhuíochas ó chroí a ghabháil le mo bhean chéile, Nicola, as a treoir leanúnach agus as aire a thabhairt do Mhícheál agus do Moya agus mé ag tabhairt faoin obair seo. Gan dabht, ba mhaith liom mo bhuíochas a ghabháil le gach duine ar an bhfoireann ag Gill Education.

Ag léamh an fhoclóra

Seo nóta maidir le léamh an fhoclóra – bain úsáid as seo chun na téarmaí gramadaí a thuiscint san fhoclóir.

Feminine

Genitive singular

Nominative plural

Genitive plural

clann, *f.* (*gs.* **-ainne**, *npl.* **~a**, *gpl.*~). **1.** Children, offspring. ~**mhac, iníonacha,** family of sons, of daughters. **Seisear clainne,** six of a family. ~ **clainne,** grandchildren, descendants.

Nominative plural:
In the plural, when **na** goes before clann it takes an **a**, mar shampla: na clann**a**.

Clann = Feminine (baininscneach)
When **an** or the article goes before clann, it takes a séimhiú, mar shampla: an c**h**lann – the family.

Genitive plural
When clann is in the genitive plural, it stays the same, mar shampla: tábhacht na **g**clann (urú is added).

Genitive singular:
When clann is in the genitive singular, it changes, mar shampla: tábhacht na cl**ainne**.

A tilde symbol (~) beside npl. and gpl. above means that the nominative plural and the genitive plural form are the same as the original form of the word, i.e. clann with an **a** added in the npl.

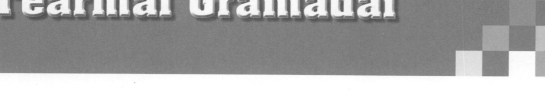

Téarmaí Gramadaí

Aibítir na Gaeilge (*Irish alphabet*)

Is iad seo a leanas **gnáthlitreacha na Gaeilge:**

a   b   c   d   e   f   g   h   i   l   m   n   o   p   r   s   t   u

Úsáidtear litreacha eile na **haibítire Rómhánaí:**

j   k   q   v   w   x   y   z

Canúintí na Gaeilge (*Irish dialects*)

Glactar leis go bhfuil **trí mhórchanúint** sa Ghaeilge:

1. Canúint na Mumhan
2. Canúint Chonnacht
3. Canúint Uladh

Uimhir	*Number*	Samplaí *a haon, a dó, a trí*
Orduimhreacha	*Ordinal Numbers*	an chéad, an dara, an tríú
Uimhreacha Pearsanta	*Personal Numbers*	duine, beirt, triúr

A HAON, A DÓ, A TRÍ

An tAlt (an/na)	*The Definite Article*	Samplaí
An Uimhir Uatha	*Singular*	an bhean/an fear
An Uimhir Iolra	*Plural*	na mná/na fir
An Chéad Phearsa	*First Person*	mé/agam, srl.
An Dara Pearsa	*Second Person*	tú/agat, srl.
An Tríú Pearsa	*Third Person*	sé/sí

An Réamhfhocal	Preposition	Samplaí
		ag, de, do, as, faoi, le ó, roimh

Forainm	Pronoun	Samplaí
		mé, tú, sé, sí, sinn, sibh, siad
Forainm Réamhfhoclach	Prepositional Pronoun	dom, duit, dó, di, dúinn, daoibh, dóibh

Consan (*every letter that is not a vowel [guta]*)		Consonant	Samplaí
Consan Caol b, d, t a bhfuil guta caol i nó e ag teacht roimhe nó ina dhiaidh		Slender Consonant	ciúin, bille
Consan Leathan a, o, u ag teacht roimhe nó ina dhiaidh		Broad Consonant	bord, bileoga

Guta (a, e, i, o, u)	Vowel	Samplaí
Guta Caol (i, e)	Slender Vowel	céim, síocháin
Guta Leathan (a, o, u)	Broad Vowel	fuinneog, bábóg

Briathar	Verb	Samplaí
Briathar Rialta	Regular Verb	cas, seol
Briathar Neamhrialta	Irregular Verb	abair, bí, beir, clois, déan, faigh, feic, ith, tabhair, tar agus téigh

Réimniú	Conjugation	Samplaí
An Chéad Réimniú	The First Conjugation	bris, cas, léim, múin
An Dara Réimniú	The Second Conjugation	ainmnigh, freagair, imir, ordaigh

Aidiacht	Adjective	Samplaí
		láidir, feargach
An Aidiacht Shealbhach	Possessive Adjective	mo, do, a, ár, bhur, a
An tAinm Briathartha	Verbal Noun	ag scríobh, ag déanamh, a scríobh, a dhéanamh
Aidiacht Bhriathartha	Verbal Adjective	dúnta, briste, olta, curtha

Céimeanna comparáide na hAidiachta	Comparative Stages of the Adjective	Samplaí	
Bunchéim	Primary Stage	feargach	láidir
Breischéim	Comparative Stage	níos feargaí	níos láidre
Sárchéim/Ardchéim	Superlative Stage	is feargaí	is láidre

láidir   níos láidre   is láidre

Séimhiú	Lenition: This involves adding a 'h' which softens the consonant.	Samplaí	tháinig, a charr, do theach
Urú	Eclipse: This involves adding a consonant in front of another consonant.		ar an gcuntar, ár dteach, bhur ngeata

Urú

mb, gc, nd, dt, ng, bp, bhf

Ainmfhocal	Noun	Samplaí *fón, comhlacht*
Ainmfhocal Baininscneach	Feminine Noun	an bhean, an fhilíocht, an tsráid, an chathaoir
Ainmfhocal Firinscneach	Masculine Noun	an t-arán, an gairdín, an Sasanach

	Díochlaonadh	Declension	Samplaí
1ú	An Chéad Díochlaonadh	The First Declension	**Masculine nouns** that end in broad consonants – e.g. an cat, an bád – and that are made slender (by adding an i) in the genitive singular, for example: eireaball an chait, barr an bháid
2ú	An Dara Díochlaonadh	The Second Declension	**Feminine nouns** (with three masculine exceptions: im, sliabh and teach) ending in consonants – for example: an fhuinneog, an bhróg, an tsúil – and that are made slender (by adding an i) in the genitive singular and an -e added to the end, for example: barr na fuinneoige, bun na bróige, radharc na súile
3ú	An Tríú Díochlaonadh	The Third Declension	**Masculine and feminine** nouns that end in broad or slender consonants – for example: an rud, an t-am, an fhuil, an mhóin – with an -a added in the genitive singular, for example: tábhacht an ruda, le himeacht ama, scaird fola, cnúchairt móna
4ú	An Ceathrú Díochlaonadh	The Fourth Declension	**Mostly masculine** nouns that end in a vowel or -ín. In the genitive singular, the end of the noun stays the same, for example: an file – ainm an fhile; an dalta – mála an dalta; an cailín – teach an chailín
5ú	An Cúigiú Díochlaonadh	The Fifth Declension	**Mostly feminine** nouns that end in a a slender consonant or a vowel in the singular form or a broad consonant; for example: an chathair – lár na cathrach, an mhonarcha – doras na monarchan, an abhainn – bun na habhann

Aimsir	Tense	Samplaí
An Aimsir Chaite	Past Tense	bhí mé, d'éist tú, roghnaigh mé
An Aimsir Ghnáthchaite	The Continuous Past	bhínn, d'éisteá, roghnaínn
An Aimsir Láithreach	The Present Tense	táim, éistim, roghnaím
An Aimsir Ghnáthláithreach	The Continuous Present	bím, bíonn tú/sé/sí/sibh/siad, bímid
An Aimsir Fháistineach	The Future Tense	beidh mé, éistfidh, roghnóidh mé
An Modh Coinníollach	The Conditional Mood	bheinn, d'éistfinn, roghnóinn
An Modh Ordaitheach	The Imperative Mood	oscail an fhuinneog, seasaigí suas

A Sheáin!

Tuiseal	Case	Samplaí
An Tuiseal Ainmneach	The Nominative Case	Tá cailín ag imirt peile.
An Tuiseal Cuspóireach	The Accusative Case	Cháin sé Seán go géar.
An Tuiseal Tabharthach	The Dative Case	ar an mbus, faoin gcathaoir
An Tuiseal Ginideach	The Genitive Case	bróga na bhfear, peil na mban
An Tuiseal Gairmeach	The Vocative Case	a Mháire, a Sheáin

Cleachtadh 1.1

Cuir na téarmaí thíos sa cholún ceart:

| mór | i | chuaigh | ar | duine | fear | d'imir | deas | bheartaigh |
| beag | go | le | cheannaigh | áthasach | cailín | feirm |

Aidiacht	Ainmfhocal	Briathar	Réamhfhocal simplí

Cleachtadh 1.2

Cuir na téarmaí thíos sa cholún ceart:

a haon	na leabhair	mé	a	na fir
e	na mná	a dó	na geataí	i
tú	sinn	sí	a cúig	sé	o
a trí	u	na boird	a ceathair

An Uimhir Iolra	Forainm	Guta	Uimhir

Cleachtadh 1.3

Aimsigh na briathra sna habairtí thíos:

1. Dúirt an bhean liom go raibh sí tuirseach. _____

2. Rachaimid chuig an aerfort go luath ar maidin. _____

3. Cheannaigh mé bróga nua don samhradh. _____

4. Tógfaidh sé i bhfad an iomarca ama orm an obair sin a dhéanamh. _____

5. Níor thuig siad an tábhacht a bhain le sláinte an duine. _____

Cleachtadh 1.4

Cuir na habairtí seo a leanas san ord ceart:

1. anuraidh bliain Bhí ag RTÉ Raidió na Gaeltachta an-speisialta.

   _____

2. mo dhaid deas dinnéar Rinne dom.

   _____

3. mé ar D'fhéach Netflix aréir.

   _____

4. go dtí an Rachaimid um thráthnóna trá.

   _____

5. sa chúlghairdín mé peil le D'imir mo dheartháir.

   _____

1. Séimhiú ar an ainmfhocal

- Sa Tuiseal Gairmeach, mar shampla: a Sheáin, a Cháit agus a Phádraig
- Tar éis uimhreacha, mar shampla: aon charr amháin, dhá chapall, trí mhadra, ceithre bhó, cúig shiorc, sé mhuc ach **ní** i ndiaidh: an dara, an tríú, an ceathrú, srl.
- Ar Ainmfhocail bhaininscneacha tar éis an ailt sa Tuiseal Ainmneach uatha, mar shampla: an bhean, an fhilíocht agus an chathair
- Tar éis an ailt sa Tuiseal Ginideach uatha firinscneach, mar shampla: hata an fhir agus mac an fheirmeora
- Tar éis na Réamhfhocal Simplí a leanas: ar (de ghnáth), de, do, faoi, gan, trí, idir (*meaning 'both'*), ó, roimh; mar shampla: tá fearg ar Thomás, trí bhóthar agus ó Shorcha
- Tar éis na haidiachta sealbhaí – mo, do, a (*his*), mar shampla: mo chóta, do bhróga agus a gheansaí
- Sloinnte: Nuair a chuirtear sloinnte sa tuiseal ginideach cuirtear séimhiú orthu; go hiondúil, mar shampla: Bean Uí Mhurchú, Teach Uí Mháille agus Muintir Mhic Mhathúna

2. Séimhiú ar an mbriathar

- San Aimsir Chaite, mar shampla: bhuaileamar, chonaiceamar
- Sa Mhodh Coinníollach, mar shampla: thabharfainn agus thiocfainn, chuirfinn
- San Aimsir Ghnáthchaite, mar shampla: théinn, bhrisidís
- Tar éis míreanna áirithe, mar shampla: ní, níor, má, nár– ní thuigim, níor fhreagair, má dhéanann agus nár fhreastail
- Tar éis na míreanna briathartha seo a leanas, mar shampla: a, ar, gur, nár, níor: ar mhaith leat? Níor mhaith liom

3. Séimhiú ar an aidiacht

- Nuair a ghabhann Aidiacht le hainmfhocal baininscneach sa Tuiseal Ainmneach uatha, mar shampla: bean fhlathúil, filíocht mhaith, cathair mhór
- Nuair a theann réimír roimh Aidiacht, mar shampla: fíor, an-, sean, ró, uile: fíormhaith, an-mhór, seanmháthair, róbheag

Eisceachtaí (*exceptions*)

- Ní thógann **sc**, **sf**, **sm**, **sp** ná **st** séimhiú i gcás ar bith.

- Ní shéimhítear **l**, **n** agus **r** sa Ghaeilge.

- Ní thógann **d**, **n**, **t**, **l** ná **s** séimhiú má chríochnaíonn an focal rompu ar **d**, **n**, **t**, **l** nó **s**, mar shampla: de**n t**uairim, do**n t**each. Tarlaíonn sé seo ach amháin nuair is aidiacht atá i gceist; mar shampla: an bhea**n d**hainséarach.

- Ní thógann **d**, **n**, **t**, **l** ná **s** séimhiú má tá **sa** rompu; mar shampla: **sa d**oirteal, **sa t**each

- Cuirtear **t** roimh ainmfhocal baininscneach dár tús **s**, tar éis an ailt, mar shampla: an **t**sráid, an **t**srón.

- Ní thógann aon fhocal tar éis **idir** séimhiú má tá achar (*distance*) i gceist, mar shampla: **idir** (*meaning 'between'*) Sligeach agus Ceatharlach.

Cleachtadh 2.1

Cuir séimhiú ar an bhfocal más gá.

1. Thóg siad dhá (mála) _____ leo.

2. Tá trí (cóipleabhar) _____ aici ina mála.

3. Cá bhfuil na ceithre (cat) _____ a bhí sa chúlghairdín?

4. Tá cúig (cathaoir) _____ sa seomra sin.

5. An bhfaca tú ceithre (geansaí) _____ sna seomraí feistis?

6. Ba léir go raibh dhá (crann) _____ ar an mbóthar.

7. Thug siad ceithre (pláta) _____ do bhean an tí.

8. Chuala mé go raibh cúig (bronntanas) _____ ag fanacht leo sa bhaile.

9. Níor chuala mé go raibh na cúig (liathróid) _____ sa pháirc.

10. Bhí aon (carr) _____ amháin sa charrchlós.

Cleachtadh 2.2

Cuir séimhiú ar an bhfocal más gá.

1. Ba (maith) _____ liom cáca milis.

2. Níor theastaigh tae ó (Seán) _____.

3. Thug an cailín an bia do (Síle) _____.

4. D'fhiafraigh Lisa de (Peadar) _____ cad a bhí cearr leis.

5. Ní (tagann) _____ ciall roimh aois.

6. Bhí idir (fir) _____ agus (mná) _____ ag an gcóisir.

7. Tá an bord sin fíor(beag) _____ sa chistin sin.

8. Ní bheidh a fhios ag éinne cad as do (Sinéad) _____.

9. Bhí gach uile (buachaill) _____ ag imirt peile sa pháirc.

10. Cheistigh siad rúnaí an óstáin faoi (cathair) _____ na Róimhe.

Cleachtadh 2.3

Cuir séimhiú ar an bhfocal más gá.

1. Is í Síle an t-ainm atá ar mo (deirfiúr) _____.
2. Cén t-am a (críochnaíonn) _____ an clár sin?
3. D'athraigh sé a (bróga) _____ ar maidin.
4. Is aoibhinn le hAoife a (madra) _____.
5. A (Seán) _____, cá bhfuil tú ag dul?
6. Tá fearg an domhain ar (Maoilíosa) _____.
7. Nuair a (bíonn) _____ an cat amuigh, bíonn an luch ag rince.
8. Tá an fear sin ró(mór) _____ dá chóta.
9. Bhí an fear an-(maith) _____ i dtráth na gceisteanna.
10. Thug mé bronntanas do mo (cailín) _____ le haghaidh na Nollag.

Cleachtadh 2.4

Cuir séimhiú ar an bhfocal más gá.

1. Bhí an fliú ar (Mícheál) _____ agus ní raibh sé ábalta dul chuig an gcóisir.
2. Cuireadh fáilte roimh (turasóirí) _____ ó chian agus ó chóngar.
3. Bhí peileadóirí an Chláir ar (feabhas) _____ ar fad.
4. Ní raibh an ghaoth ró(láidir) _____ inniu.
5. Bhí an buachaill an-(dána) _____ sa rang.
6. Bhí sí ina (cónaí) _____ sa (Cabhán) _____.
7. Ní raibh mé ró(buartha) _____ nuair a chaill mé an bus.
8. Cailín an-(stuacach) _____ a bhí inti.
9. Léigh mé leabhar a bhí an-(spéisiúil) _____.
10. Cloistear ceol á sheinnt sa (seomra) _____.

Cleachtadh 2.5

Cuir séimhiú ar an bhfocal más gá.

1. His knife _____
2. Two shovels _____
3. Three sliotars _____
4. Four knots _____
5. Five streams _____
6. Two mirrors _____
7. Three mountains _____
8. Two hawthorns _____
9. Six scythes _____
10. Five robins _____

Foclóir

shovel – sluasaid	*knots* – snaidhm	*stream* – sruthán	*mirror* – scáthán
mountain – sliabh	*hawthorn* – sceach gheal	*scythe* – speal	*robins* – spideog

Cleachtadh 2.6

Cuir séimhiú ar an bhfocal más gá.

1. Thaistil siad idir (Corcaigh) _____ agus
   (Ciarraí) _____.

2. Rinne an feirmeoir iarracht a (tarracóir) _____ a thosnú.

3. Dúradh léi a (iall) _____ a cheangal ach theip uirthi.

4. Thóg an daid a (leanbh) _____ ón gcliabhán toisc go raibh
   an leanbh ag caoineadh.

5. Bhí seanbhean ina (suí) _____ taobh thiar den chuntar.

6. Rinne mé mo sheacht ndícheall teacht ar (líomóid) _____ ach theip orm.

7. Bhí an peileadóir sin fíor(maith) _____ i rith an chluiche sin.

8. Chuaigh an teach trí (tine) _____ agus cuireadh glaoch ar an
   mbriogáid dóiteáin.

9. Chónaigh sé sa (cathair) _____ agus bhí sé an-(sásta) _____ ann.

10. Tá an fear sin an-(maith) _____ ag an bpeil Ghaelach.

Cleachtadh 2.7

Cuir séimhiú ar an bhfocal más gá.

1. Cá bhfuil do (gloine) _____?

2. Tá fearg an domhain ar (Bean Uí Shé) _____ toisc gur goideadh a mála
   ag an deireadh seachtaine.

3. Bhí clú agus cáil ar (Seán) _____ mar (peileadóir) _____.

4. Nuair a (tagaim) _____ abhaile is maith liom mo (dinnéar)
   _____.

5. D'fhiafraigh mé de (Sadhb) _____ cén obair (baile)
   _____ a bhí againn sa stair.

6. D'imir mé ar (foireann) _____
   iomána na Gaillimhe.

7. D'admhaigh siad go raibh an fhoireann eile ró(maith)
   _____ dóibh.

8. A (Cáit) _____, cá bhfuil tú
   ag dul anois?

9. Bhí siad idir (magadh) _____
   agus (dáiríre) _____ i rith na
   díospóireachta.

10. Tá an fear sin ró(lag) _____
    don (tasc) _____ sin.

Cleachtadh 2.8

Cuir na briathra seo sa Mhodh Coinníollach.

1. I would put _____

2. He would clean _____

3. I would create _____

4. You would create _____

5. I would walk _____

6. You would walk _____

7. I would be _____

8. I would not take _____

9. I would sing _____

10. She would not call _____

Focail Bhaininscneacha

Cuirtear **séimhiú** ar Ainmfhocal tar éis an ailt nuair atá an focal **baininscneach**, mar shampla: an chéim (*the degree/step*).

Cleachtadh 2.9

Bain triail as an alt a chur roimh na focail seo a leanas.

1. The woman _____

6. The movement _____

2. The poetry _____

7. The degree _____

3. The window _____

8. The conclusion _____

4. The doll _____

9. The park _____

5. The rain _____

10. The Gaeltacht _____

Foclóir

poetry – filíocht	*doll* – bábóg	*movement* – gluaiseacht
degree/step – céim	*conclusion* – conclúid	*rain* – báisteach

Ba, Ar agus Níor

Cleachtadh 2.10

De ghnáth cuirtear séimhiú i ndiaidh na bhfocal seo: **ba**, **ar** agus **níor**. Aistrigh na focail seo go Gaeilge agus cuir an séimhiú isteach.

1. I would like _____

6. I did not enjoy _____

2. Would you like? _____

7. Did you understand? _____

3. I did not wait _____

8. I did not understand _____

4. I did not learn _____

9. Did you buy? _____

5. Did you enjoy? _____

10. I did not buy _____

Cleachtadh ar cheist na gramadaí don tSraith Shóisearach

Cuir séimhiú leis an bhfocal idir lúibíní más gá.

Tháinig daoine ó (cian) (1) agus ó chóngar chuig an bhféile mhór in Inis, i gContae an Chláir. Bhí idir (óg) (2) agus (aosta) (3) i láthair ag an bhféile. Sheinn ceoltóirí ó (tíortha) (4) fud fad an domhain ag an ócáid. Bhí ceol agus craic ann ar feadh na hoíche agus nuair a (críochnaigh) (5) an chéad oíche bhí gach duine an-tuirseach ar fad. Bhain gach éinne idir (taitneamh) (6) agus (tairbhe) (7) as an bhféile.

Cleachtadh 2.11

1. _____
2. _____
3. _____
4. _____

5. _____
6. _____
7. _____

Cleachtadh ar cheist 6A don Ardteistiméireacht

Aimsigh na séimhithe sna hailt ó léamhthuiscintí na hArdteistiméireachta thíos.

Athrú Aeráide: Fadhb Mhór ár Linne

Chonaic mé clár spéisiúil faoin gcomhshaol ar an teilifís le déanaí. Bhí eolaí cáiliúil ag cur síos ar na hathruithe atá tar éis tarlú sa réigiún Artach le caoga bliain anuas. Tá an teocht ag ardú ann agus an leac oighir ag leá dá bharr. Ceaptar go mbeidh iomlán an mhachaire leac oighir san Artach leáite faoi lár na haoise seo. Is tubaiste don dúlra na hathruithe seo, go háirithe don bhéar bán a chónaíonn sa réigiún. Dhírigh an clár seo ar chás an bhéir bháin. Is minic a bhíonn air a shaol a chur i mbaol chun teacht ar bhia atá ag éirí gann. Chonacthas an béar sa chlár ina sheasamh ar aill chúng ag faire ar a sheans chun breith ar bhia ón uisce. Tuigimid go léir faoin am seo go bhfuil athruithe suntasacha tagtha ar chúrsaí aimsire, ní hamháin sa réigiún Artach, ach ar fud an domhain. Is é an t-athrú aeráide an dúshlán is mó atá roimh an gcine daonna faoi láthair. Ní haon ionadh mar sin go bhfuil na téarmaí 'athrú aeráide', 'téamh domhanda' agus 'forbairt inbhuanaithe' le cloisteáil go minic na laethanta seo.

2016 Léamhthuiscint B

TG4 – Fiche Bliain ag Fás

Ba thráthúil go raibh Uachtarán na hÉireann, Micheál D. Ó hUiginn, i láthair ar oíche cheiliúrtha TG4 anuraidh. Bhí baint lárnach aigesean le bunú an stáisiúin sa bhliain 1996 nuair a bhí sé ina Aire Ealaíon, Cultúir agus Gaeltachta. Mar Aire, bhí sé freagrach as cúrsaí craoltóireachta agus d'aontaigh sé go hiomlán le cuspóirí an Fheachtais Náisiúnta Teilifíse. Ina óráid ar Oíche Shamhna anuraidh, labhair an tUachtarán faoi thábhacht TG4 i saol na Gaeilge. Cothaíonn an stáisiún nasc idir na pobail scaipthe a labhraíonn an Ghaeilge anseo in Éirinn agus ar fud an domhain, a dúirt sé. Tugann TG4 deis do gach duine a bhfuil Gaeilge aige a bheith páirteach I gcomhluadar na teanga, bíodh sé ina chainteoir líofa nó ná bíodh. Is den riachtanas é má tá an Ghaeilge le buanú, dar leis an Uachtarán, deis a bheith ag pobal na Gaeilge a n-íomhá féin a fheiceáil, agus a nguth féin a chloisteáil ag trácht ina dteanga dhúchais féin ar gach ábhar atá tábhachtach ina saol.

2017 Léamhthuiscint A

Cleachtadh 2.12

1. _____
2. _____
3. _____

4. _____
5. _____
6. _____

m – b	
g – c	
n – d	
d – t	
n – g	
b – p	
bh – f	
n – guta	

Ní chuirtear urú ar aon chonsan eile.

Foghlaim an rím seo agus cabhróidh sé leat na uruithe a fhoghlaim:

My Brother	–	seacht **mb**róg
Got Caught	–	thar an **gc**ótaí
Not Doing	–	nach **nd**úirt
Dishes Tonight	–	ár **dt**each
Nobody Gets	–	a **ng**eata
Blueberry Pie	–	ar an **bp**ráta
Before He Finishes	–	ar an **bhf**uinneog

Urú ar an ainmfhocal

Úsáidtear urú sna cásanna seo a leanas:

1. I ndiaidh na n-uimhreacha seo

Consain	Gutaí
seacht **ng**eata	seacht **n-a**sal
seacht **bp**eann	seacht **n-e**ochair
ocht **gc**upán	ocht **n-i**nneall
naoi **bh**fón	naoi **n-o**ráiste
deich **mb**ord	ocht **n-u**aireadóir

Ní úsáidtear urú tar éis: fiche, tríocha, daichead, caoga, seasca, seachtó, ochtó, nócha ná céad; mar shampla: tríocha cat, daichead cóipleabhar, caoga bróg, seasca práta, ochtó pláta, nócha uaireadóir, céad teach.

Cleachtadh 3.1

Aistrigh na focail seo a leanas agus cuir urú leo más gá.

1. Seven cats _____
2. Eight houses _____
3. Nine windows _____
4. Ten gates _____
5. Seven oranges _____
6. Eight cups _____
7. Nine presents _____
8. Ten jobs _____
9. Seven games _____
10. Seven jumpers _____

Cleachtadh 3.2

Aistrigh na focail seo a leanas agus cuir urú leo más gá.

1. Ten oranges _____
2. Seven watches _____
3. Eight donkeys _____
4. Nine apples _____
5. Ten airports _____
6. Seven hospitals _____
7. Eight achievements _____
8. Ten nails _____
9. Nine pencils _____
10. Seven speeches _____

Foclóir

achievement – éacht	*nail* – ionga	*professor* – ollamh	*speech* – óráid

2. I ndiaidh na hAidiachta Sealbhaí (*after the possessive adjective*) san uimhir iolra

ár (*ours*), **bhur** (*your*) agus **a** (*their*)

Mar shampla: **ár** n-athair   **bhur** mbróg   **a** gcótaí

Cleachtadh 3.3

Aistrigh na focail seo a leanas agus cuir urú leo más gá.

1. Your parents _____
2. Their donkey _____
3. Our bread _____
4. Your coat _____
5. Their house _____
6. Our friends _____
7. Your table _____
8. Their cars _____
9. Our people _____
10. Your chairs _____

Cleachtadh 3.4

Aistrigh na focail seo a leanas agus cuir urú leo más gá.

1. Their cat _____
2. Our bottles _____
3. Your shoes _____
4. Their tables _____
5. Our cow _____
6. Your field _____
7. Their trousers _____
8. Our sister _____
9. Your brother _____
10. Your father _____

3. Tar éis an Réamhfhocail 'i' (*after the preposition 'i'*)

i **g**Corcaigh

i **dt**rioblóid

i **dT**rá Lí

i **mb**aile

i **dt**ír

i **mb**liana

Cleachtadh 3.5

Aistrigh na focail seo a leanas agus cuir urú leo más gá.

1. In Dublin _____
2. In a predicament _____
3. After _____
4. In my friend's house _____
5. In Belfast _____
6. In Ennis town _____
7. In trouble _____
8. In another world _____
9. In Tralee _____
10. In storage _____

Foclóir

predicament – cruachás	*after* – i ndiaidh	*Ennis town* – Baile na hInse
another world – domhan eile	*store (something)* – taisce	

Cleachtadh 3.6

Athraigh na focail idir lúibíní.

1. I (diaidh) _____ a chéile a thógtar na caisleáin.
2. Bhí na cailíní i (teach) _____ a (cairde)
   _____ .
3. Ní raibh sé i (trioblóid) _____ sa scoil seo cheana.
4. Tháinig an churach lán d'éisc i (tír) _____ ar an
   (cladach) _____ .
5. Bhí an chlann ina luí i (teas) _____ na gréine ar an ngaineamh.
6. Níor tháinig siad i (cabhair) _____ orthu nuair a bhí siad i
   (trioblóid) _____ .
7. Ní raibh siad i (fad) _____ ón (baile) _____
   _____ an uair sin.
8. Chuir siad an t-airgead i (taisce) _____ sa bhanc.
9. Tá na tuismitheoirí i (feighil) _____ na bpáistí.
10. Chas sé ar a rúitín agus bhí sé i (pian) _____ uafásach leis.

4. Sa Tuiseal Tabharthach (*in the Dative Case*)

Cuirtear urú i ndiaidh na réamhfhocal seo nuair a bhíonn an t-alt in úsáid leo:

	Le hUrú	Gan Urú
ag an	ag an gcailín	ag an teach
ar an	ar an mbus	ar an doras
as an	as an ngeata	as an líne
chuig an	chuig an bpoitigéir	chuig an siopa
leis an	leis an gcapall	leis an údar
roimh an	roimh an mbricfeasta	roimh an teachín
thar an	thar an gclaí	thar an dorchla
tríd an	tríd an gcorp	tríd an oráiste
faoin	faoin mbord	faoin tuath
ón	ón mbaile	ón teach

Má chríochnaíonn focal amháin le **d**, **n**, **t**, **l** nó **s** agus má thosnaíonn an chéad fhocal eile le ceann de na litreacha sin, ní chuirtear urú ar an bhfocal a leanann é sa **Tuiseal Tabharthach**. Mar an gcéanna le **a**, **e**, **i**, **o** agus **u**. Féach sa ghreille **Gan Urú** ar chlé.

Más focal **baininscneach** é atá ag tosnú le **s**, cuirtear **t** roimhe; mar shampla: ar an **ts**ráid, leis an **tS**iúr, ag an **ts**eanbhean.

Cleachtadh 3.7

Aistrigh na focail seo a leanas agus cuir urú leo más gá.

1. On the table _____
2. With the chemist _____
3. From the wall _____
4. On the car _____
5. With the food _____
6. With the girl _____
7. On the street (bain.) _____
8. Out of the cupboard _____
9. At the door _____
10. With the problem _____

Foclóir

chemist – poitigéir   *cupboard* – cófra   *problem* – fadhb

Cleachtadh 3.8

Aistrigh na focail seo a leanas agus cuir urú leo más gá.

1. Out of the line _____

2. Over the door _____

3. In the countryside _____

4. From the house _____

5. To the shop _____

6. With the old woman (bain.) _____

7. At the toilet _____

8. On the chair _____

9. With the doctor _____

10. Through the door _____

5. I ndiaidh Réamhfhocal eile (*after certain prepositions*)

ar **gc**úl; ar **dt**ús; ar **nd**óigh; go **bhf**ios dom

Cleachtadh 3.9

Athraigh na focail seo idir lúibíní más gá.

1. Ithim mo dhinnéar ag an (bord) _____.

2. Bhí an scoláire i (trioblóid) _____ leis an
   (príomhoide) _____.

3. Cónaíonn an fear ar an (feirm) _____
   amuigh faoin (tuath) _____.

4. Tá uaigneas ar an (fear) _____ mar chaill sé
   a mhadra ar an (aonach) _____.

5. Tháinig siad ar réiteach ar an (fadhb) _____ leis an (folcadán) _____
   _____.

6. Bhí na tuismitheoirí crosta leis an (dalta) _____.

7. Léim an bhó thar an (claí) _____ agus bhí sí ar an (bóthar) _____
   _____.

8. Chuir an príomhoide fáilte mhór roimh an (grúpa) _____.

9. Bhí eagla ar an (bean) _____ nuair a chuala sí an madra ag tafann.

10. Ghlaoigh mé ar an (fiaclóir) _____ mar bhí piain i m'fhiacla agam.

Cleachtadh 3.10

Athraigh na focail idir lúibíní.

1. Téigh ar (cúl) _____ .
2. Ar (dóigh) _____ bhí fadhb ann.
3. Go (fios) _____ dom tá an ceart aici.
4. Ar (tús) _____ an féidir leat labhairt níos moille?
5. Tháinig an bád i (tír) _____ .
6. Ar (dóigh) _____ níl an ceart aige.
7. I (baile) _____ is i (céin) _____ .
8. Dul ar (cúl) _____ .
9. Níor athraigh aon rud i (bliana) _____ .
10. Beidh fadhb ann ar (dóigh) _____ .

6. Urú ar bhriathra

I ndiaidh **an**, **nach**, **go**, **cá**:

nach **nd**úirt mé   go **nd**earna mé

an **nd**úirt tú?   nach **bhf**aighidh mé

Cleachtadh 3.11

Aistrigh na focail seo a leanas agus cuir urú leo más gá.

1. Do you not understand? _____
2. Does he have to? _____
3. Where did they go? _____
4. Did you not see? _____
5. Did I not tell you? _____
6. Where did you get that? _____
7. Do they not like it? _____
8. Will I not get it? _____
9. Where are they? _____
10. Did I not do well? _____

7. I ndiaidh na gcónasc dá, mura agus sula (*after the conjunctions*)

mura **mb**einn   mura **bhf**aca   dá **mb**einn saibhir   sula **nd**eachaigh siad

Cleachtadh 3.12

Aistrigh na focail seo a leanas agus cuir urú leo más gá.

1. If I had a chance _____
2. Before they went to work _____
3. If she does not come _____
4. If I were wealthy _____
5. If you did not see _____
6. Before she went home _____
7. If I were not cold _____
8. If I were not watching television _____
9. If I had a lot of money _____
10. Before they went to school _____

8. Tuiseal Ginideach Iolra (*in the Genitive Case Plural*)

Samplaí sa Tuiseach Ginideach Iolra:

seolta na **mb**ád   obair na **bhf**eirmeoirí

focail na **n-**amhrán   gairdín na **n-**ainmhithe

cuirtíní na **bhf**uinneog   trasna na **dt**onnta

Cleachtadh 3.13

Aistrigh na focail seo a leanas agus cuir urú leo más gá.

1. Ladies Gaelic football _____
2. The music of the birds _____
3. The voice (guth) of the principals _____
4. For the people _____
5. Around the houses _____
6. The girls' houses _____
7. Across the waves (tonnta) _____
8. In front of the tables _____
9. Asking the questions (ag cur) _____
10. The price of the shoes _____

Cleachtadh ar cheist na gramadaí don tSraith Shóisearach

Athraigh na focail idir lúibíní más gá.

Thóg an bhean an pláta ón (cófra) (1). Shuigh sí síos ag an (bord) (2). Thosaigh sí ag ól cupán caife agus léigh sí alt as an (páipéar) (3). Tháinig a fear céile isteach agus shuigh sé sa chathaoir a bhí in aice leis an (tine) (4). D'fhéach sé ar an (teilifís) (5) a bhí i gcúinne an tseomra. Tar éis tamaill labhair an bheirt acu mar gheall ar an (drochaimsir) (6) a bhí ann i rith an gheimhridh. D'aontaigh an bheirt acu go raibh an aimsir ag éirí níos measa agus dúirt an fear leis an (bean) (7) nach dtiocfadh feabhas ar chúrsaí go luath.

Cleachtadh 3.14

1. _____ 5. _____

2. _____ 6. _____

3. _____ 7. _____

4. _____

Cleachtadh ar cheist 6A don Ardteistiméireacht

Aimsigh na huruithe sna hailt ó léamthuiscintí na hArdteistiméireachta thíos.

Steve Jobs: Fiontraí agus Fealsamh

Rugadh Jobs in San Francisco in 1955. Ní raibh a thuismitheoirí pósta agus chinn siad gan an leanbh a choinneáil. Réitigh Jobs go maith lena thuismitheoirí uchtála ach ní raibh oideachas orthu ná mórán airgid acu. Chaitheadh sé tréimhsí fada lena athair uchtála sa gharáiste ag obair ar earraí leictreonacha, raidiónna, teilifíseáin agus innill ghluaisteán, mar shampla. Leaid óg fiosrach a bhí ann agus bhíodh sé i gcónaí ag fiafraí: cad é seo agus conas a oibríonn sé. Ní raibh sé sona ar scoil. Níor thaitin an fhoghlaim fhoirmiúil ná an teagasc traidisiúnta leis. Ba mhó an luí a bhí aige leis an obair mheicniúil. Nuair a chuaigh sé ar an ollscoil i gColáiste Reed, Portland, mar shampla, níor fhan sé ann ach ocht mí dhéag. Níor thaitin an cúrsa leis. In ainneoin na ndeacrachtaí a bhí aige leis an oideachas foirmiúil, mhéadaigh ar a spéis sa teicneolaíocht. In 1976 a bhunaigh sé féin agus Steve Wozniak Apple, agus faoin mbliain 1986, bhí ceithre mhíle oibrí fostaithe sa chomhlacht.

2013 Léamhthuiscint A

Raidió na Gaeltachta: 40 Bliain ar an Aer

Tháinig Raidió na Gaeltachta ar an aer de bharr éileamh ó Ghluaiseacht Chearta Sibhialta na Gaeltachta. Bhailigh dream beag gníomhairí as an nGaeltacht le chéile ag deireadh na seascaidí agus é mar aidhm acu saol mhuintir na Gaeltachta a fheabhsú. I gConamara a thosaigh an feachtas. Bhí ceantar Chonamara beo bocht ag an am, gan infreastruchtúr ceart ná deiseanna fostaíochta, agus bhí an ceantar á bhánú ag an imirce. Níorbh fhada go raibh daoine ag teacht le chéile sna Gaeltachtaí go léir ag iarraidh cúrsaí a fheabhsú. Lorg Gluaiseacht Chearta Sibhialta na Gaeltachta údarás áitiúil forbartha agus pleanála, plean cuimsitheach oideachais agus raidió áitiúil Gaeilge do phobal na Gaeltachta. Méadaíodh ar an mbrú nuair a cuireadh raidió bradach, Saor-Raidió Chonamara, ar an aer aimsir na Cásca 1970. Sé mhí níos déanaí, d'fhógair an rialtas i mBaile Átha Cliath go mbunófaí raidió áitiúil Gaeilge, a dhéanfadh freastal ar na pobail Ghaeltachta agus ar Ghaeilgeoirí ar fud na tíre.

2013 Léamhthuiscint B

Cleachtadh 3.15

1. _____ 3. _____

2. _____ 4. _____

An Réamhfhocal agus an Forainm Réamhfhoclach

N

An Réamhfhocal Simplí (*the simple preposition*)

Rialacha le foghlaim

- Léiríonn an Réamhfhocal an ceangal idir dhá Ainmfhocal; mar shampla:
  tá an sparán **ar** an mbord, tá an cóta **ag** an mbuachaill.

- Uaireanta leanann **séimhiú** an Réamhfhocal Simplí agus uaireanta eile leanann an t-**urú** an Réamhfhocal Simplí agus uaireanta ní bhíonn séimhiú ná urú i gceist.

Réamhfhocail Shimplí roimh Ainmfhocal dar tús consan (*simple prepositions before nouns that begin with a consonant*)

De, do, faoi, mar, ó, roimh, trí Séimhítear ainmfhocail a leanann iad.	Ar, gan, idir, thar, um Séimhítear ainmfhocail a leanann iad, cuid den am.	As, chuig, chun, dar, go, go dtí, le, murach, os, seachas Ní shéimhítear ainmfhocail a leanann iad.	i Uraítear ainmfhocail a leanann é.
Samplaí D'fhiafraigh mé de Sheán cá raibh mo pheann luaidhe. Thug mé bronntanas do Thomás dá bhreithlá. D'oibrigh sí mar fhreastalaí. Tháinig siad abhaile roimh theacht an tsneachta. Chuaigh siad trí gheata an choláiste.	**Samplaí** Chuir sí glao ar Mháire. Tháinig sé gan mhoill. Tá idir mhúinteoirí agus dhaltaí sa seomra. Shiúil sé thar gheata an choláiste. Tiocfaidh siad um thráthnóna. **Gan Séimhiú** Bhí siad ar mire liom. Tá sé maith go leor ach gan fearg a chur air. Chuaigh siad idir Baile Átha Cliath agus Corcaigh. Ná lig an íocaíocht thar téarma. An tAcht um Bord na Gaeilge	**Samplaí** B'as Corcaigh dó. Sheol sé an téacs chuig Laura. Bhí sí chun tosaigh orthu. Tiocfaidh sé go dtí an Clár liom. Chuaigh sí go dtí Rinn na Spáinneach inné. Dúirt sé le Séamus imeacht.	**Samplaí** Cónaíonn siad i gContae Lú. Tá sé suite i gceantar beag. Tá airgead i bpóca an duine sin.

Na Forainmneacha Réamhfhoclacha
(*the prepositional pronouns*)

	An Uimhir Uatha				An Uimhir Iolra		
	An Chéad Phearsa	An Dara Pearsa	An Tríú Pearsa (fir.)	An Tríú Pearsa (bain.)	An Chéad Phearsa	An Dara Pearsa	An Tríú Pearsa
Ag	agam	agat	aige	aici	againn	agaibh	acu
Ar	orm	ort	air	uirthi	orainn	oraibh	orthu
As	asam	asat	as	aisti	asainn	asaibh	astu
Chuig	chugam	chugat	chuige	chuici	chugainn	chugaibh	chucu
Do	dom	duit	dó	di	dúinn	daoibh	dóibh
De	díom	díot	de	di	dínn	díbh	díobh
Faoi	fúm	fút	faoi	fúithi	fúinn	fúibh	fúthu
Le	liom	leat	leis	léi	linn	libh	leo
Ó	uaim	uait	uaidh	uaithi	uainn	uaibh	uathu
Roimh	romham	romhat	roimhe	roimpi	romhainn	romhaibh	rompu
Thar	tharam	tharat	thairis	thairsti	tharainn	tharaibh	tharstu
Trí	tríom	tríot	tríd	tríthi	trínn	tríbh	tríothu

Cleachtadh 4.1

Anois bain triail as na Forainmneacha Réamhfhoclacha a athscríobh:

	An Uimhir Uatha				An Uimhir Iolra		
	An Chéad Phearsa	An Dara Pearsa	An Tríú Pearsa (fir.)	An Tríú Pearsa (bain.)	An Chéad Phearsa	An Dara Pearsa	An Tríú Pearsa
Ag							
Ar							
As							
Chuig							
Do							
De							
Faoi							
Le							
Ó							
Roimh							
Thar							
Trí							

Tá sé tábhachtach am a chaitheamh ag foghlaim na bhForainmneacha Réamhfhoclacha.

Ag

Úsáidtear **ag** i gcomhthéacsanna áirithe le réamhfhocal eile

Tá aithne **ag** Bronte ar Shíle.
Tá fón póca **ag** Mícheál.
Tá a fhios **ag** an saol faoin ráfla sin.
Tá Gaeilge **ag** an bhfear sin.
Tá grá **ag** Xavier don Ghaeilge.
Tá meas **ag** daoine ar an bPápa.
Tá muinín **agam** aisti.

An Forainm Réamhfhoclach

Ag	agam	agat	aige	aici	againn	agaibh	acu

Cleachtadh 4.2

Athraigh na focail idir lúibíní nó cuir an focal ceart isteach.

1. Tá aithne (ag: mé) _____ ar Shéan.

2. Tá trua (ag: sí) _____ dá cara toisc go bhfuil sé san ospidéal.

3. Tá Gaeilge (ag: sí) _____ mar d'fhreastail sí ar bhunscoil lán-Ghaeilge.

4. Tá meas (ag: sé) _____ orm mar tuigeann sé gur oibrigh mé go dian.

Gaelscoil Mhíchíl Cíosóg Inis

5. Tá súil (ag: mé) _____ go mbeidh mé in ann dul ar mo chuid laethanta saoire.

6. Tá suim (ag: siad) _____ sa chispheil mar bhuaigh siad an corn anuraidh.

7. Tá grá (ag: sibh) _____ don pheil Ghaelach, nach bhfuil?

8. Tá airgead _____ Luca dá lón.

9. Tá sé déanta _____ an bhfear sin cúpla uair cheana.

10. Tá suim (ag: sé) _____ san adhmadóireacht mar is siúinéir é a dhaid.

Ar

Úsáidtear **ar** le briathra áirithe.

> Beir **ar** an liathróid.
> Táim ag brath **ar** Lena.
> Breathnaigh **ar** an teilifís.
> Déan dearmad **ar** an bpolaitíocht.
> Chas mé **ar** Sheán inné.
> Cuir fios **ar** an dochtúir.
> Cuimhnigh **ar** an ócáid sin.

An Forainm Réamhfhoclach

Ar	orm	ort	air	uirthi	orainn	oraibh	orthu

Cleachtadh 4.3

Athraigh na focail idir lúibíní nó cuir an focal ceart isteach.

1. Freastalaím _____ Ardscoil Mhuire.
2. D'fhill sí _____ ais ón scoil um thráthnóna.
3. Impím (ar: tú) _____ do dhícheall a dhéanamh sa scrúdú sin.
4. Rug siad _____ an liathróid sin.
5. D'fhéachamar _____ an gcluiche aréir.
6. Tá tinneas cinn (ar: mé) _____ mar d'ith mé drochbhia.
7. Bhí brón (ar: sí) _____ mar chaill sí a madra.
8. Bhí fliú _____ an mbean de bharr na drochaimsire.
9. Rinne sí dearmad _____ a cuid obair bhaile.
10. Smaoinigh siad _____ an airgead go ródhéanach.

As

Úsáidtear **as** le briathra áirithe.

> Bain geit **asam** nuair a lig an múinteoir béic as.
> Éirigh **as** an tseafóid sin.
> Rinne sé **as** adhmad é.
> Tá sí **as** taithí.
> Bain taitneamh **as** an gcluiche.
> Thit gach rud **as** a chéile.

An Forainm Réamhfhoclach

As	asam	asat	as	asti	asainn	asaibh	astu

Cleachtadh 4.4

Athraigh na focail idir lúibíní nó cuir an focal ceart isteach.

1. Baineadh geit (as: mé) _____ sa dorchadas.

2. Bhí an áit ag titim _____ a chéile.

3. Bhain tú geit (as: mé) _____ , a phleidhce!

4. Bhain mé taitneamh _____ an gcluiche sin ar an teilifís.

5. Thóg siad a gcuid airgid _____ a bpócaí.

6. Léigh mé _____ Leabhar Cheanannais.

7. Baineadh siar (as: mé) _____ nuair a chuala mé an nuacht.

8. Tá sí _____ a meabhair.

9. Bhain mé geit (as: í) _____ .

10. Níl aon mhuinín agam (as: iad) _____ .

Chuig

Úsáidtear **chuig** le briathra áirithe.

Rith sé leis an scéala **chugainn**.
Caith **chuige** an liathróid.
Féach **chuige** go ndéanann tú é sin.
Thug sí **chuici** féin é.
Téigh **chuig** an siopa.

An Forainm Réamhfhoclach

Chuig	chugam	chugat	chuige	chuici	chugainn	chugaibh	chucu

Cleachtadh 4.5

Athraigh na focail idir lúibíní nó cuir an focal ceart isteach.

1. Scríobhfaidh mé litir (chuig: í) _____ amárach.

2. Chuaigh sí _____ an siopa inné.

3. Tabhair an t-uaireadóir sin (chuig: mé) _____ ,

4. Chuaigh sí _____ an siopa inné.

5. Rith sé (chuig: mé) _____ go raibh tae sa taephota.

6. Ghlac sé _____ féin é. (*he took it personally*)

7. Bhuail siad ar aghaidh _____ an bpáirc.

8. Rith sé (chuig: mé) _____ go raibh tae sa taephota.

9. Buail aníos (chuig: sinn) _____ lá éigin. (*call up to see us some day*)

10. Cár ghabh tú (chuig: muid) _____ ? (*where have you come from?*)

Do

Úsáidtear **do** le briathra áirithe.

D'admhaigh sé **dom** go ndearna sé é.	Beannaigh **dó**.
Ghéill sé **dom**.	Gheall sé neamh agus talamh **dom** go ndéanfadh sé é.
Sábháil **do** chuid airgid.	Lig **do**.
Taispeáin dom **do** chuid oibre.	

An Forainm Réamhfhoclach

Do	dom	duit	dó	di	dúinn	daoibh	dóibh

Cleachtadh 4.6

Athraigh na focail idir lúibíní nó cuir an focal ceart isteach.

1. Thug sé a chóta (do: é) _____.
2. Ní oireann sé (do: mé) _____ dul chuig do theach anocht.
3. Ghéill sé (do: iad) _____.
4. Codladh sámh (do: tú) _____.
5. Bheannaigh sí (do: muid) _____ nuair a chonaic sí muid.
6. Tabhair aire (do: tú) _____ féin agus beidh tú in ann staidéar a dhéanamh.
7. Lig (do: iad) _____ a rogha rud a dhéanamh.
8. D'inis an múinteoir scéal deas (do: muid) _____ sa rang.
9. Taispeánfaidh mé (do: iad) _____ cad atá le déanamh.
10. B'éigean (do: iad) _____ teitheadh.

De

Úsáidtear **de** le briathra áirithe.

Bain **díot** do chóta.
Fág **di** é.
Scaoil **de**.
Chaith sé **de** a chaipín.

An Forainm Réamhfhoclach

De	díom	díot	de	di	dínn	díbh	díobh

Cleachtadh 4.7

Athraigh na focail idir lúibíní nó cuir an focal ceart isteach.

1. Bhain sí (de: í) _____ a cóta.

2. Thógfadh sé an ghruaim (de: muid) _____.

3. Caith (de: tú) _____ do chóta.

4. Rinne sé stangaire (de: mé) _____.

5. Bhí mo cheann ag éirí (de: mé) _____.

6. Chuaigh (de: mé) _____ é a dhéanamh.

7. Scaoil (de: mé) _____.

8. Éirigh (de: mé) _____.

9. Conas atá tú ag cur (de: tú) _____?

10. Chuaigh (de: mé) _____ é a dhéanamh.
(*I failed to do it*)

Faoi

Úsáidtear **faoi** le briathra áirithe.

Buail **fút** ansin.
Fág **fúmsa** é.
Scaoil **faoi**.
Cuir **faoin** mbord é.
Tabhair **faoi** do chuid oibre.

An Forainm Réamhfhoclach

Faoi	fúm	fút	faoi	fúithí	fúinn	fúibh	fúthu

Cleachtadh 4.8

Athraigh na focail idir lúibíní nó cuir an focal ceart isteach.

1. Buail (faoi: tú) _____ ansin agus bain taitneamh as an seó.

2. Fágfaidh mé _____ do chúram é.

3. Chuir sí na bróga (faoi: í) _____.

4. Chuirfeadh sé cosa crainn _____ na cearca. (*he would work wonders*)

5. Tabhair _____ deara go bhfuil daoine eile sa scuaine.

6. Cuir do shuíochán (faoi: tú) _____ ansin. (suigh síos ansin)

7. Tá an ghrian ag dul _____. (tá an ghrian ag imeacht)

8. Chuaigh an teach _____ bharr lasrach.

9. Luigh (faoi: tú) _____ ansin.

10. Scaoil (faoi: tú) _____ an liathróid do na tosaithe eile.

Le

Úsáidtear **le** le briathra áirithe.

> Bhuail sé **leis**.
> D'éirigh **liom** sa scrúdú.
> Scaoil **leis** an liathróid.
> Tabhair **leat** é.
> Téigh **le** do chara.

An Forainm Réamhfhoclach

Le	liom	leat	leis	léi	linn	libh	leo

Cleachtadh 4.9

Athraigh na focail idir lúibíní nó cuir an focal ceart isteach.

1. Buailfidh mé (le: tú) _____ tar éis na scoile.

2. Ceangail an téad sin _____ an gcarr.

3. Níl sé ag teacht

   _____ na

   dathanna eile.

4. Scaoil an t-oifigeach airm urchar
   (le: muid) _____.

5. Ba cheart duit do chóta mór a
   thabhairt (le: tú)

   _____.

6. D'éirigh (le: é) _____ dul abhaile.

7. Caith do háta _____. (*throw your hat at it*)

8. Tá meánoíche buailte (le: muid) _____.

9. Tá sí ina cónaí (le: muid) _____.

10. Tháinig an freagra (le: mé) _____.

Ó

Úsáidtear **ó** le briathra áirithe.

> Thóg sí **uaim** an sliotar.
> Éirigh **ó** do chathaoir.
> Bhí **uaim** labhairt léi.
> D'imigh an traein **ón** stáisiún.

An Forainm Réamhfhoclach

Ó	uaim	uait	uaidh	uaithi	uainn	uaibh	uathu

Cleachtadh 4.10

Athraigh na focail idir lúibíní nó cuir an focal ceart isteach.

1. An bhfuair tú a raibh (ó: tú) _____?
2. Caith (ó: tú) _____ é.
3. Ghlaoigh sé _____ bhun an staighre.
4. Fág (ó: tú) _____ é.
5. Sheol siad _____ Phort Láirge.
6. Ná lig (ó: tú) _____ an téad.
7. Níor éirigh mo spiorad _____ shin.
8. Rith sé (ó: muid) _____.
9. Chuaigh an scéal _____ bhéal go béal.
10. Chuir sé _____ chodladh na hoíche mé.

Roimh, Thar, Trí

Úsáidtear **roimh**, **thar** agus **trí** le briathra áirithe.

> Buail **romhat** ansin.
> Caith **thar** an gclaí é.
> Chuir sé **roimhe** an chéad áit a bhaint amach.
> Chuaigh sé **thar** sáile.
> Rith siad **tríd** an bpáirc.

Na Forainmneacha Réamhfhoclacha

Roimh	romham	romhat	roimhe	roimpi	romhainn	romhaibh	rompu
Thar	tharam	tharat	thairis	thairsti	tharainn	tharaibh	tharstu
Trí	tríom	tríot	tríd	tríthi	trínn	tríbh	tríothu

Cleachtadh 4.11

Athraigh na focail idir lúibíní nó cuir an focal ceart isteach.

1. Chuir Bean an Tí fáilte (roimh: muid) _____.
2. Buail (roimh: tú) _____ isteach sa halla.
3. Shiúil siad (roimh: muid) _____.
4. Chaith siad go leor ama _____ sáile.
5. Caith do shúil (thar: é) _____.
6. Chuir sé a dhá shúile (trí: mé) _____.
7. Chuaigh siad _____ dhroichead.
8. Bhí siad (roimh: muid) _____ sa scuaine.
9. Tá sé (roimh: sí) _____ ansin.
10. Fuair sé an post sin (trí: mé) _____.

Cleachtadh ar cheist na gramadaí don tSraith Shóisearach

Athraigh na focail idir lúibíní más gá.

Bhuail sí (faoi: í) (1). Baineadh siar (as: í) (2) mar ba bheag nár thit an carr í cúpla nóiméad roimhe sin. D'fhéach sí (ar) (3) an teilifís. Bhain sí a cóta (do: í) (4) agus smaoinigh sí ar a cara. Sheol sí téacs (chuig: é) (5). Tháinig sé (chuig: í) (6). Labhair sé (leis: í) (7). Baineadh siar (as: í) (8) agus bheartaigh sí a scíth a ligean ansin.

Cleachtadh 4.12

1. _____
2. _____
3. _____
4. _____

5. _____
6. _____
7. _____
8. _____

Cleachtadh ar cheist 6A don Ardteistiméireacht

Aimsigh na Forainmneacha Réamhfhoclacha sna hailt ó léamhthuiscintí na hArdteistiméireachta thíos.

TG4 – Fiche Bliain ag Fás

Ba thráthúil go raibh Uachtarán na hÉireann, Micheál D. Ó hUiginn, i láthair ar oíche cheiliúrtha TG4 anuraidh. Bhí baint lárnach aigesean le bunú an stáisiúin sa bhliain 1996 nuair a bhí sé ina Aire Ealaíon, Cultúir agus Gaeltachta. Mar Aire, bhí sé freagrach as cúrsaí craoltóireachta agus d'aontaigh sé go hiomlán le cuspóirí an Fheachtais Náisiúnta Teilifíse. Ina óráid ar Oíche Shamhna anuraidh, labhair an tUachtarán faoi thábhacht TG4 i saol na Gaeilge. Cothaíonn an stáisiún nasc idir na pobail scaipthe a labhraíonn an Ghaeilge anseo in Éirinn agus ar fud an domhain, a dúirt sé. Tugann TG4 deis do gach duine a bhfuil Gaeilge aige a bheith páirteach i gcomhluadar na teanga, bíodh sé ina chainteoir líofa nó ná bíodh. Is den riachtanas é má tá an Ghaeilge le buanú, dar leis an Uachtarán, deis a bheith ag pobal na Gaeilge a n-íomhá féin a fheiceáil, agus a nguth féin a chloisteáil ag tagairt ina dteanga dhúchais féin ar gach ábhar atá tábhachtach ina saol.

2017 Léamhthuiscint A

Raidió na Gaeltachta: 40 Bliain ar an Aer

Tháinig Raidió na Gaeltachta ar an aer de bharr éileamh ó Ghluaiseacht Chearta Sibhialta na Gaeltachta. Bhailigh dream beag gníomhairí as an nGaeltacht le chéile ag deireadh na seascaidí agus é mar aidhm acu saol mhuintir na Gaeltachta a fheabhsú. I gConamara a thosaigh an feachtas. Bhí ceantar Chonamara beo bocht ag an am, gan infreastruchtúr ceart ná deiseanna fostaíochta, agus bhí an ceantar á bhánú ag an imirce. Níorbh fhada go raibh daoine ag teacht le chéile sna Gaeltachtaí go léir ag iarraidh cúrsaí a fheabhsú. Lorg Gluaiseacht Chearta Sibhialta na Gaeltachta údarás áitiúil forbartha agus pleanála, plean cuimsitheach oideachais agus raidió áitiúil Gaeilge do phobal na Gaeltachta. Méadaíodh ar an mbrú nuair a cuireadh raidió bradach, Saor-Raidió Chonamara, ar an aer aimsir na Cásca 1970. Sé mhí níos déanaí, d'fhógair an rialtas i mBaile Átha Cliath go mbunófaí raidió áitiúil Gaeilge, a dhéanfadh freastal ar na pobail Ghaeltachta agus ar Ghaeilgeoirí ar fud na tíre.

2013 Léamhthuiscint B

Cleachtadh 4.13

1. _____
2. _____

3. _____

An Chéim Chothroim

Úsáidtear **chomh** san abairt nuair a theastaíonn ó dhuine comparáid a dhéanamh, mar shampla:

- Tá foireann na Mí **chomh** maith le foireann Chorcaí.
- Tá Seán **chomh** mór le Tomás.
- Tá an aimsir **chomh** dona i mbliana agus a bhí anuraidh.

An Chéim Chomparáide

- **An Bhunchéim**: Tá Áine éirimiúil.
- **An Bhreischéim**: Tá Zuzanna níos éirimiúla.
- **An tSárchéim:** Is í Nicola an bhean is éirimiúla acu uile í.

Tá cúig roinn sa chuid seo:

1. Aidiachtaí a chríochnaíonn ar **-úil**, athraítear go **-úla** iad; mar shampla, áiti**úil** – is/níos áiti**úla**

2. Aidiachtaí a chríochnaíonn ar **-(e)ach**, athraítear go **-(a)í** iad; mar shampla, costas**ach** – is/níos costas**aí** agus foréign**each**, – is/níos foréign**í**

3. Aidiachtaí a chríochnaíonn ar ghuta, de ghnáth ní athraítear iad; mar shampla, cneasta – is/níos cneasta

4. Aidiachtaí Neamhrialta: tá roinnt Aidiachtaí Neamhrialta ann agus ní leanann siad patrún faoi leith; mar shampla, maith – is/níos fearr

5. Aidiachtaí eile nach críochnaíonn ar **-úil** nó **-(e)ach**, ach a chríochnaíonn ar ghuta, cuirtear **-e** ag an deireadh; mar shampla, dian – is/níos déin**e**.

1. Aidiachtaí a chríochnaíonn ar '-úil', athraítear go '-úla' iad

Cailtear an **i** ag deireadh an fhocail agus cuirtear **a** le haidiachtaí a chríochnaíonn ar **-úil**; mar shampla, áitiú**il** – is/níos áitiú**la**, cáiliú**il** – is/níos cáiliú**la**.

An Bhunchéim	An Bhreischéim	An tSárchéim
áisiúil	níos áisiúla	is áisiúla
áitiúil	níos áitiúla	is áitiúla
cáiliúil	níos cáiliúla	is cáiliúla
éirimiúil	níos éirimiúla	is éirimiúla
fáiltiúil	níos fáiltiúla	is fáiltiúla
fearúil	níos fearúla	is fearúla
fuinniúil	níos fuinniúla	is fuinniúla

An Bhunchéim	An Bhreischéim	An tSárchéim
leisciúil	níos leisciúla	is leisciúla
misniúil	níos misniúla	is misniúla
páistiúil	níos páistiúla	is páistiúla
rathúil	níos rathúla	is rathúla
sláintiúil	níos sláintiúla	is sláintiúla
suimiúil	níos suimiúla	is suimiúla
tacúil	níos tacúla	is tacúla
tuirsiúil	níos tuirsiúla	is tuirsiúla

Cleachtadh 5.1

Aistrigh na focail seo go Gaeilge.

1. Welcoming _____
2. More welcoming _____
3. Most welcoming _____
4. Famous _____
5. More famous _____
6. Most famous _____
7. Courageous _____
8. More courageous _____
9. Most courageous _____

Cleachtadh 5.2

Aistrigh na focail seo go Gaeilge.

1. Lazy _____
2. Lazier _____
3. Laziest _____
4. Childish _____
5. More childish _____
6. Most childish _____
7. Healthy _____
8. Healthier _____
9. Healthiest _____

Cleachtadh 5.3

Athraigh na focail idir lúibíní.

1. Is í sin an bhean is (cailiúil) _____ ar domhan.
2. Tá Seán níos (fearúil) _____ ná Séamus.
3. Is í an Ghaeilge an t-ábhar is (suimiúil) _____ dom.
4. Is é seo an fear is (sláintiúil) _____ sa chomhlacht seo.
5. Bíonn na himreoirí níos (fuinniúil) _____ i rith na gcluichí.
6. Sílim gur tusa an duine is (éirimiúil) _____ sa díospóireacht seo.
7. Tá an madra sin ag éirí níos (leisciúil) _____ .
8. Sin í an bhean is (fuinniúil) _____ ar an bhfoireann.
9. Tá an bhean sin níos (sláintiúil) _____ ná an bhean eile.
10. Tá an múinteoir sin níos (tacúil) _____ ná aon mhúinteoir eile.

Cleachtadh 5.4

Aistrigh na habairtí seo a leanas.

1. Beyoncé is more famous (cáiliúil) than Lizzo.

2. Fionn is more manly (fearúil) than Pádraig.

3. Fiachra is the most intelligent (éirimiúil) teacher in the school.

4. That girl is more childish (páistiúil) than her sister.

5. Seán is the laziest (leisciúil) person on the pitch today.

6. Irish is more interesting (suimiúil) than English.

7. She is healthier (sláintiúil) than others in her year.

8. The Beatles are the most famous (cáiliúil) band in the world.

9. Síle is the most courageous (misniúil) person in the world.

10. Ireland is the most successful (rathúil) country in the world.

2. Aidiachtaí a chríochnaíonn ar '-(e)ach', athraítear go '(a)í' iad

costasach – is/níos costasaí; foréigneach – is/níos foréigní

An Bhunchéim	An Bhreischéim	An tSárchéim
áthasach	níos áthasaí	is áthasaí
aisteach	níos aistí	is aistí
brónach	níos brónaí	is brónaí
costasach	níos costasaí	is costasaí
contúirteach	níos contúirtí	is contúirtí
cumasach	níos cumasaí	is cumasaí
déanach	níos déanaí	is déanaí
éifeachtach	níos éifeachtaí	is éifeachtaí
feargach	níos feargaí	is feargaí
foighneach	níos foighní	is foighní
leadránach	níos leadránaí	is leadránaí
leithleach	níos leithlí	is leithlí
maslach	níos maslaí	is maslaí
salach	níos salaí	is salaí
suaimhneach	níos suaimhní	is suaimhní
tábhachtach	níos tábhachtaí	is tábhachtaí

Cleachtadh 5.5

Aistrigh na focail seo go Gaeilge.

1. Joyful _____
2. More joyful _____
3. Most joyful _____
4. Expensive _____
5. More expensive _____
6. Most expensive _____
7. Angry _____
8. Angrier _____
9. Angriest _____

Cleachtadh 5.6

Aistrigh na focail seo go Gaeilge.

1. Boring _____
2. More boring _____
3. Most boring _____
4. Insulting _____
5. More insulting _____
6. Most insulting _____
7. Dirty _____
8. Dirtier _____
9. Dirtiest _____

Cleachtadh 5.7

Athraigh na focail idir lúibíní.

1. Is í an bhean is (foighneach) _____ acu uile í.
2. Tá an mála sin níos (costasach) _____ ná an mála eile.
3. Is é an dalta is (cumasach) _____ sa rang é.
4. Tá an tarbh sin níos (feargach) _____ ná an tarbh eile sa ghort.
5. Is í an bhaintreach is (brónach) _____ acu uile í.
6. Tagann an cailín sin níos (déanach) _____ ná an cailín eile.
7. Tá an leithreas sin níos (salach) _____ ná an leithreas eile.
8. Is í an trá is (suaimhneach) _____ í.
9. Tá mo chuid staidéir níos (tábhachtach) _____ ná aon rud eile.
10. Is é an bealach is (éifeachtach) _____ é.

Cleachtadh 5.8

Aistrigh na habairtí seo a leanas.

1. The school canteen is busier (gnóthach) this year.

2. Science is the most important (tábhachtach) subject in school.

   _____

3. This is the most peaceful (suaimhneach) place in the world.

   _____

4. What is the latest (déanach) story?

   _____

5. This is the most boring (leadránach) class.

   _____

6. This is the most dangerous (contúirteach) place in the world.

   _____

7. *Fair City* is more boring than *EastEnders*.

   _____

8. He is angrier (feargach) than she is.

   _____

9. She is the most joyful (áthasach) woman in the world.

   _____

10. Some of my friends think history is more important (tábhachtach) than geography.

    _____

3. Aidiachtaí a chríochnaíonn ar ghuta, de ghnáth ní athraítear iad

cneasta – is/níos cneasta

An Bhunchéim	An Bhreischéim	An tSárchéim
buí	níos buí	is buí
casta	níos casta	is casta
cliste	níos cliste	is cliste
cneasta	níos cneasta	is cneasta
cróga	níos cróga	is cróga
dána	níos dána	is dána
éasca	níos éasca	is éasca
foirfe	níos foirfe	is foirfe
gonta	níos gonta	is gonta
macánta	níos macánta	is macánta
nádúrtha	níos nádúrtha	is nádúrtha
réasúnta	níos réasúnta	is réasúnta
simplí	níos simplí	is simplí
síochánta	níos síochánta	is síochánta
traidisiúnta	níos traidisiúnta	is traidisiúnta

Cleachtadh 5.9

Aistrigh na focail seo go Gaeilge.

1. Yellow _____
2. More yellow _____
3. Most yellow _____
4. Smart _____

5. Smarter _____
6. Smartest _____
7. Bold _____

8. Bolder _____
9. Boldest _____

Cleachtadh 5.10

Aistrigh na focail seo go Gaeilge.

1. Perfect _____
2. More perfect _____
3. Most perfect _____
4. Easy _____
5. Easier _____

6. Easiest _____
7. Reasonable _____
8. More reasonable _____
9. Most reasonable _____

Cleachtadh 5.11

Athraigh na focail idir lúibíní.

1. Is í Siobhán an duine is (cliste) _____ sa rang.
2. Tá Gaeilge níos (éasca) _____ ná mata.
3. Tá iarthar na tíre níos (traidisiúnta) _____ ná oirthear na tíre.
4. Tá Éire níos (síochánta) _____ ná tíortha eile.
5. Beidh an buachaill sin níos (dána) _____ ná an buachaill eile.
6. Is é an fear is (cróga) _____ acu uile é.
7. Tá an scrúdú tiomána níos (simplí) _____ ná mar a deirtear.
8. Is é an cainteoir is (gonta) _____ é.
9. Is í an bhean is (cneasta) _____ í.
10. Tá dath na bróige níos (buí) _____ ná dath na bróige eile.

> Is fearr liom Gaeilge ná mata.

Cleachtadh 5.12

Aistrigh na habairtí seo a leanas.

1. The house is more yellow (buí) than the other houses.

_____

_____

2. The girl was bolder (dána) than the boy.

_____

3. That is the most complex (casta) problem.

_____

4. He is the most honest (macánta) man.

_____

5. They are more traditional (traidisiúnta) than anyone else.

_____

_____

6. The woman was braver (cróga) than the man.

   _____

7. They are the most reasonable (réasúnta) people.

   _____

8. The girls are more reasonable than the boys.

   _____

9. English is the simplest (simplí) subject.

   _____

10. This is the easiest (éasca) subject.

    _____

4. Aidiachtaí Neamhrialta

An Bhunchéim	An Bhreischéim	An tSárchéim
beag	níos lú	is lú
breá	níos breátha	is breátha
fada	níos faide	is faide
furasta	níos fusa	is fusa
gearr	níos giorra	is giorra
iomaí	níos lia	is lia
ionúin (beloved)	níos ansa	is ansa
maith	níos fearr	is fearr
mór	níos mó	is mó
olc	níos measa	is measa
te	níos teo	is teo

Cleachtadh 5.13

Aistrigh na focail seo go Gaeilge.

1. Small _____
2. Smaller _____
3. Smallest _____
4. Long _____
5. Longer _____

6. Longest _____
7. Big _____
8. Bigger _____
9. Biggest _____

Cleachtadh 5.14

Aistrigh na focail seo go Gaeilge.

1. Nice _____
2. Nicer _____
3. Nicest _____
4. Warm _____
5. Warmer _____

6. Warmest _____
7. Bad _____
8. Worse _____
9. Worst _____

Cleachtadh 5.15

Athraigh na focail idir lúibíní.

1. Is é sin an fear is (mór) _____ acu uile é.
2. Tá foireann Bhaile Átha Cliath níos (beag) _____ ná aon fhoireann eile.
3. Is é Dún na nGall an contae is (breá) _____ sa tír.
4. Is féidir a rá go bhfuil an bhó sin níos (maith) _____ ná an bhó eile.
5. Tá a chuid gruaige níos (gearr) _____ ná gruaig a chairde.
6. Beidh sé níos (te) _____ sa Spáinn ná in aon tír eile faoi láthair.
7. Tá pearsantacht an bhuachalla sin níos (breá) _____ ná a pearsantacht.
8. Tá Cill Dara níos (fada) _____ uainn ná Baile Átha Cliath.
9. Tá Contae Liatroma níos (beag) _____ ná Contae Chorcaí.
10. Tá Síle níos (olc) _____ ná Máire ag an Eolaíocht.

Cleachtadh 5.16

Aistrigh na habairtí seo a leanas.

1. She is the most beautiful (breá) girl of them all.

   _____

2. County Louth is the smallest county in Ireland.

   _____

3. My pants are shorter than your pants.

   _____

4. He is the worst (olc) player on the pitch.

   _____

5. Italian is the subject that I love (ionúin) the most.

   _____

6. It is one of the worst (olc) things.

   _____

7. Spain is warmer (te) than Ireland.

   _____

8. It is easier (furasta) to fall than to rise.

   _____

9. They are the worst group of supporters in the world.

   _____

10. That man is the smallest man I have ever seen.

    _____

CONTAE DHÚN NA NGALL

5. Aidiachtaí eile nach críochnaíonn ar '-úil', '-(e)ach', ach a chríochnaíonn ar ghuta, cuirtear 'e' ag an deireadh

dian – is/níos déine

An Bhunchéim	An Bhreischéim	An tSárchéim
ard	níos airde	is airde
bocht	níos boichte	is boichte
ciallmhar	níos ciallmhaire	is ciallmhaire
ciúin	níos ciúine	is ciúine
deas	níos deise	is deise
dian	níos déine	is déine
dubh	níos duibhe	is duibhe
éadrom	níos éadroime	is éadroime
geal	níos gile	is gile
géar	níos géire	is géire
glic	níos glice	is glice
grámhar	níos grámhaire	is grámhaire
ionraic	níos ionraice	is ionraice
luath	níos luaithe	is luaithe
minic	níos minice	is minice
óg	níos óige	is óige
saor	níos saoire	is saoire
sean	níos sine	is sine
searbh	níos seirbhe	is seirbhe
tréan	níos treise	is treise
trom	níos troime	is troime

Cleachtadh 5.17

Aistrigh na focail seo go Gaeilge.

1. Poor _____
2. Poorer _____
3. Poorest _____
4. Black _____
5. Blacker _____

6. Blackest _____
7. Sharp _____
8. Sharper _____
9. Sharpest _____

Cleachtadh 5.18

Aistrigh na focail seo go Gaeilge.

1. Honest _____
2. More honest _____
3. Most honest _____
4. Young _____
5. Younger _____

6. Youngest _____
7. Cheap _____
8. Cheaper _____
9. Cheapest _____

Cleachtadh 5.19

Athraigh na focail idir lúibíní.

1. Is é mo dheartháir an duine is (óg) _____ sa chlann.
2. Tá mo mhúinteoir staire níos (deas) _____ ná aon mhúinteoir eile sa scoil.
3. Tá na bróga sin níos (dubh) _____ ná na bróga eile.
4. Tá mo mháthair níos (grámhar) _____ ná aon duine eile ar domhan.
5. Éirím níos (luath) _____ ar maidin ná mo dheirfiúr.
6. Seo an eitilt is (saor) _____ ar féidir liom teacht air.
7. Tá Seán níos (sean) _____ ná Síle.
8. Tá an mála scoile níos (trom) _____ ná an cóta mór.
9. Is é an sionnach an t-ainmhí is (glic) _____ atá ann.
10. Tá mo rothar nua níos (éadrom) _____ ná mo sheanrothar.

Cleachtadh 5.20

Aistrigh na habairtí seo a leanas.

Is mise an duine is óige sa teaghlach.

1. She is the nicest (deas) teacher that I have.

   _____
   _____

2. She is the oldest (sean) in that family.

   _____

3. He is the boldest (dána) boy in the class.

   _____

4. Yellow is brighter (geal) than black.

   _____

5. I am the youngest (óg) in the family.

   _____

6. My grandmother is the most loving (grámhar) woman.

   _____

7. My father gets up earlier (luath) than anyone else in the family.

   _____

8. Those clothes are the cheapest (saor) in the shop.

   _____

9. They are the youngest group.

   _____

10. That is the sourest (searbh) food you can eat.

    _____

Cleachtadh ar cheist na gramadaí don tSraith Shóisearach

Athraigh na focail idir lúibíní.

Is é Co. Lú an contae is (beag) (1) sa tír. Is é Co. Chorcaí an contae is (mór) (2) sa tír. Is é Baile Átha Cliath an contae leis an méid is (mór) (3) daoine sa tír seo. Is é Co. Liatroma an contae leis an méid is (beag) (4) daoine sa tír. Ceann de na háiteanna is (stairiúil) (5) sa tír ná an droichead i Leithghlinn i gContae Ceatharlach. Is é an droichead is (sean) (6) atá fós in úsáid san Eoraip é.

Cleachtadh 5.21

1. _____
2. _____
3. _____

4. _____
5. _____
6. _____

Cleachtadh ar cheist 6A don Ardteistiméireacht

Aimsigh samplaí de Chéimeanna Comparáide na hAidiachta sna hailt ó léamhthuiscintí na hArdteistiméireachta.

Scéalta ó na Daonáirimh

Tá fianaise i ndaonáireamh 2016 go bhfuil borradh faoi gheilleagar na hÉireann arís. Tá méadú 3.2% ar líon na ndaoine a bhí ag obair an bhliain sin i gcomparáid leis an mbliain 2011. D'fhág a lán Éireannach an tír nuair a tharla an cúlú eacnamaíochta ach is léir ó dhaonáireamh 2016 go bhfuil go leor acu ag filleadh anois toisc go bhfuil fostaíocht ar fáil arís. D'fhoilsigh an Phríomh-Oifig Staidrimh eolas spéisiúil freisin faoin tslí a dtéann daoine chuig a n-ionad oibre. Tá méadú ar an líon oibrithe a bhaineann leas as an iompar poiblí mar mhodh taistil chun na hoibre. Beidh ar an rialtas níos mó d'acmhainní an stáit a chaitheamh ar an iompar poiblí amach anseo. Sa bhliain 2021 a dhéanfar an chéad daonáireamh eile in Éirinn. Beidh daonáireamh ar siúl i ngach ballstát den Aontas Eorpach an bhliain sin. Nuair a bheidh sin déanta, beimid in ann pobal na tíre seo a chur i gcomparáid le pobail na dtíortha eile san Aontas, agus beidh tuiscint níos fearr againn ar an Aontas Eorpach dá bharr.

2018 Léamhthuiscint A

Na Cluichí Oilimpeacha – Prionsabail agus Conspóidí

Ba é Pierre de Coubertin ón bhFrainc a d'athbhunaigh na Cluichí Oilimpeacha sa ré nua sa bhliain 1896. Mar oideachasóir, d'aithin de Coubertin tábhacht an chorpoideachais i gcúrsaí oideachais. Throid sé go láidir chun an corpoideachas a chur ar churaclam na scoileanna sa Fhrainc ag an am. Mar staraí, bhí sé an-tógtha leis na cuntais a léigh sé faoi na cluichí a bhíodh acu sa tSean-Ghréig. San Aithin a tionóladh na chéad Chluichí Oilimpeacha sa ré nua. Reáchtáladh na Cluichí Oilimpeacha gach ceathrú bliain ó shin i leith seachas na blianta 1916, 1940 agus 1944 nuair a bhí an dá chogadh dhomhanda ar siúl. Is sa Chairt Oilimpeach a leagtar síos na prionsabail is ceart a leanúint sna Cluichí Oilimpeacha. De réir na bprionsabal sin, is tábhachtaí páirt a ghlacadh sna cluichí ná an bua a fháil iontu. Ba cheart an iomaíocht a bheith cothrom agus cóir i gcónaí, agus meas a bheith ag na hiomaitheoirí ar a chéile. Ar an ábhar sin, tá cosc iomlán ar dhrugaí a thugann buntáiste mímhacánta d'iomaitheoirí. Tá sé ina bhunphrionsabal de chuid na gCluichí Oilimpeacha gan ligean do lucht na polaitíochta mí-úsáid a bhaint as an spórt nó as na hiomaitheoirí ar mhaithe lena gcuspóirí polaitiúla féin.

2016 Léamhthuiscint A

Cleachtadh 5.22

1. _____
2. _____

3. _____

6 An Aidiacht Shealbhach

Rialacha le foghlaim

Seo iad na rialacha a bhaineann leis an Aidiacht Shealbhach:

Consain (*consonants*)			
Uimhir Uatha **Séimhiú**		**Uimhir Iolra** **Urú**	
mo chara	*my friend*	ár gcairde	*our friends*
do chara	*your friend*	bhur gcairde	*your friends*
a chara	*his friend*	a gcairde	*their friends*
a cara	*her friend*		
Gutaí (*vowels*)			
Uimhir Uatha		**Uimhir Iolra** **Urú**	
m'athair	*my father*	ár n-athair	*our father*
d'athair	*your father*	bhur n-athair	*your father*
a athair	*his father*	a n-athair	*their father*
a hathair	*her father*		

Cleachtadh 6.1

Aistrigh na focail seo a leanas.

1. His hair _____
2. His mother _____
3. Your copy (do) _____
4. Your bag (do) _____
5. His dog _____

6. Your sister (do) _____
7. His coat _____
8. Your horse (do) _____
9. His parents _____
10. Your presents (do) _____

Cleachtadh 6.2

Aistrigh na focail seo a leanas.

1. Her father _____
2. Our essay _____
3. Their bread _____
4. Her sister _____
5. Our sweets _____

6. Their phones _____
7. My pen _____
8. Our dog _____
9. Your daughter (do) _____
10. His horse _____

Cleachtadh 6.3

Aistrigh na focail seo a leanas.

1. My parents _____
2. Our house _____
3. Her friend _____
4. Their vegetables _____
5. His country _____

6. Your money (bhur) _____
7. Her work _____
8. My cup _____
9. My cousins _____
10. Our subjects _____

Cleachtadh 6.4

Aistrigh na focail seo a leanas.

1. Your country (bhur) _____
2. Our phones _____
3. Their teacher _____
4. Your copies (bhur) _____
5. Their sisters _____
6. Her bag _____
7. Our computer _____
8. My book _____
9. Their glass _____
10. Our bottle _____

Cleachtadh 6.5

Athraigh na focail idir lúibíní.

1. D'athraigh sí a (intinn) _____ nuair a thuig sí an scéal.
2. Shroicheamar ár (teach) _____ roimh an trácht.
3. Bhí ár (ollamh) _____ sa stair thar barr.
4. D'fhreastail a (cairde) _____ ar an gceolchoirm agus bhí siad an-sásta.
5. Bhuaileamar lenár (múinteoirí) _____ ag an gcluiche.
6. Scríobh na filí a (dánta) _____ i rith an lae.
7. Bhí a (agallamh) _____ i mBaile Átha Cliath inné agus bhí siad an-sásta.
8. Chaill sí a (eochair) _____ sa charrchlós.
9. Thit bhur (ríomhairí) _____ as bhur málaí.
10. Fuair sí a (bronntanas) _____ agus bhí áthas an domhain uirthi.

Cleachtadh 6.6

Athraigh na focail idir lúibíní más gá.

1. D'fhág sí a (cara) _____ ag an doras.
2. Tá a (athair) _____ ina chónaí sa Bhreatain Mhór agus téann sí ann go minic chun é a fheiceáil.

3. Fuair a (aiste) _____ ardmharcanna agus bhí sí an-sásta.

4. Bhlais sé a (seacláid) _____.

5. Tá (do: eastát) _____ tithíochta an-deas ar fad.

6. Is maith liom do (cairde) _____, tá siad go hálainn.

7. Ní miste léi a (obair) _____ bhaile a dhéanamh.

8. Tá ár (intinn) _____ lán le dóchas.

9. Níor éirigh leo a (eitilt) _____ a fháil.

10. Cá bhfuil do (cara) _____ Séamus anois?

Cleachtadh 6.7

Athraigh na focail idir lúibíní.

1. D'imigh siad abhaile ina (carranna) _____.

2. An bhfaca tú mo (cara) _____ sa (gairdín) _____?

3. D'éisteamar lena (ceol) _____ agus bhí an buachaill ar fheabhas ar fad.

4. Cár fhág sibh bhur (málaí) _____?

5. Rinne siad a (cuid) _____ obair bhaile um thráthnóna.

6. Léigh a (aintín) _____ scéal di sular
   thit sí ina (codladh) _____.

7. Cá bhfuil (do: aintín) _____?

8. Níor ól sibh bhur (oráiste) _____.

9. Rinne Seán na ceachtanna ina (cóipleabhar) _____.

10. D'itheamar ár (béile) _____ le chéile aréir.

An Réamhfhocal agus an Aidiacht Shealbhach le Chéile

Seo an rud a tharlaíonn nuair a thagann na réamhfhocail **de**, **do**, **faoi**, **i**, **le**, **ó** agus **trí** roimh na hAidiachtaí Sealbhacha.

Rudaí le foghlaim

- **i** + **a** = **ina**, mar shampla: Tá sé **ina c**hónaí i gCiarraí.
- **i** + **ár** = **inár**, mar shampla: Táimid **inár g**cónaí in eastát tithíochta.
- **i** + **bhur** = **in bhur**, mar shampla: Tá sibh **in bhur g**cónaí amuigh faoin tuath.
- **i** + **mo** = **i m'fh**ear gnó, mar shampla: Ba mhaith liom a bheith **i m'fh**ear gnó.
- **i** + **do** = **i d'fh**ear gnó, mar shampla: Ba mhaith leat a bheith **i d'fh**ear gnó.
- **do** nó **de** + **a** = **dá**, mar shampla: Thug mé tacaíocht **dá ch**airde.
- **do** nó **de** + **ár** = **dár**, mar shampla: Thug mé tacaíocht **dár g**cairde.
- **faoi** + **a** = **faoina**, mar shampla: Labhair mé léi **faoina** cuid oibre.
- **faoi** + **ár** = **faoinár**, mar shampla: Bhí sé ag caint **faoinár n-a**intín.

- **le + a = lena**, mar shampla: Bhí mé ag caint **lena ph**áistí/**lena bp**áistí/**lena** páistí.
- **le + ár = lenár**, mar shampla: Bhí siad ag caint **lenár bp**áistí.
- **ó + a = óna**, mar shampla: Fuair mé cabhair **óna h**uncail.
- **ó + ár = ónar**, mar shampla: Fuair siad cabhair **ónár n-**uncail.
- **trí + a = trína**, mar shampla: Rith na páistí **trína** teach.

Cleachtadh 6.8

Athraigh na focail idir lúibíní.

1. Táimid (i: ár: cónaí) _inár gcónaí ✓_ ar imeall na cathrach.
2. Chaith sí an lá (i: a: suí) _ina suí ✓_ (i: a cathaoir) _ina gcathaoir_.
3. Thugamar bronntanais (do: ár: cairde) _dár gcairde_ um Nollaig.
4. Bhí Nicola ag caint (le: a: aintín) _lena haintín ✓_.
5. Fuair sé airgead (ó: a: athair) _óna hathair ✓_.
6. Fuair siad bia (ó: a: tuismitheoirí) _óna dhuismitheori_.
7. Bhíomar i dtrioblóid ar scoil (le: ár: múinteoir) _lenár múinteoir_.
8. Ba mhaith liom a bheith (i: mo: feirmeoir) _i m'fheirmeoir ✓_.
9. Níor lig sí (do: a: mac) _dá mac ✓_ dul go dtí an dioscó.
10. Gheall sé (do: a: máthair) _dá mháthair ✓_ nach ndéanfadh sé arís é.

Cleachtadh 6.9

Athraigh na focail idir lúibíní.

1. Bhíomar ag obair (le: ár: tuismitheoirí) _lenár dtuismitheoir ✓_ sa ghairdín.
2. Ba mhaith léi a bheith (i: a: cuntasóir) _ina cuntasóir ✓_.
3. Bhí tuirse an domhain orthu mar bhí siad (i: a: seasamh) _ina seasamh ✓_ an lá ar fad ag an gceolchoirm.
4. Níor mhaith léi a bheith (i: a: innealtóir) _ina hinnealtóir ✓_ mar nach maith léi mata.
5. Fuair sí an post sin (trí: a: athair) _trína hathair ✓_.
6. D'fhiafraigh sé (do: a: cairde) _dá chairde ✓_ an raibh an obair bhaile déanta acu.
7. Táimid (i: ár: cónaí) _inár gconaí ✓_ i gCill Mhantáin agus tá mo chara, Blaise, (i: a: cónaí) _inár chónaí ✓_ i gCeatharlach.
8. Thit na cailíní (de: a: capall) _dá gcapall ✓_ agus bhí siad gortaithe go dona.
9. Bhí a chara ag caint (le: a: cairde) _lena cheirde ✓_.
10. Éisteann siad leis an raidió (i: a: carranna) _ina gcarranna ✓_.

Cleachtadh 6.10

Aistrigh na habairtí seo a leanas.

1. Seán was talking with his friend.

   _____

2. The girl fell off her horse.

   _____

3. The boy got money from his aunt.

4. Moya was talking with her friends.

5. They gave books to the book shop.

6. He put the money into his bank account.

cuantas banc

7. Albert is living in Dublin.

8. We are living in County Cork.

9. The mouse was under our feet.

10. She was listening to her friend.

Cleachtadh 6.11

Aistrigh na habairtí seo a leanas.

1. The boy hit his brother.

2. I asked my friend to help me.

3. They got the jobs through their friends.

4. The teenagers were talking to the teachers.

5. He does not want to live in Spain.

6. They were talking with their friends.

7. They got presents from their family.

8. She did not get help from her brother.

9. They are living in the city.

10. I want to be a farmer in the future.

Cleachtadh ar cheist na gramadaí don tSraith Shóisearach

Athraigh na focail idir lúibíní.

Mhúscail Síle ar maidin. D'éirigh sí as a (leaba) (1). Shiúil sí síos an staighre agus d'ith sí a (bricfeasta) (2). Thug a Daid síob ar scoil di. Shroich sí an scoil timpeall a leathuair tar éis a hocht agus chuir sí a (mála) (3) traenála isteach ina (taisceadán) (4). Bhí a (lá) (5) scoile fada go leor ach bhain sí taitneamh as a (rang) (6) corpoideachais ach go háirithe.

Cleachtadh 6.12

1. _leaba_
2. _bricfeasta_
3. _mála_
4. _dtaisceadán_
5. _lá_
6. _rhang_

Cleachtadh ar cheist 6A don Ardteistiméireacht

Aimsigh na hAidiachtaí Sealbhacha sna hailt ó léamhthuiscintí na hArdteistiméireachta thíos.

Súil Siar ar 2013

Chuireamar slán leis an Triúracht (*Troika*) in 2013. Bhí siad sin ag coinneáil súil ghéar ar chúrsaí airgeadais na tíre, ag iarraidh ar an rialtas gearradh siar ar chaiteachas agus ciorruithe a chur i bhfeidhm. Tá siad imithe anois ach fanann a soiscéal eacnamaíochta i réim: is féidir fás a chothú ach gearradh a dhéanamh. Is maith an scéalaí an aimsir. Mheall Tóstal Éireann 2013 an-chuid cuairteoirí go hÉirinn anuraidh. Fáilte Éireann a reáchtáil an Tóstal chun daoine de bhunadh na hÉireann a mhealladh anseo ar saoire. Mheas daoine áirithe gur ar thóir airgead na gcuairteoirí a bhí Fáilte Éireann agus nach raibh aon suim acu sna cuairteoirí iad féin. Ba chosúil go raibh formhór na gcuairteoirí iontach sásta lena dturas ar an tír, áfach, agus b'ardú meanman do mhuintir na hÉireann na cuairteoirí a fheiceáil ag triail ar an tír as Sasana, as Meiriceá agus as gach cearn den domhan. Tá cuma níos fearr ar gheilleagar na hÉireann anois ná mar a bhíodh le cúpla bliain anuas ach nílimid gan cúis imní. An leanfaidh an fás beag geilleagrach atá le brath faoi láthair? An dtiocfaidh na cuairteoirí ar ais go hÉirinn?

2014 Léamhthuiscint B

Na Cluichí Oilimpeacha – Prionsabail agus Conspóidí

Ba é Pierre de Coubertin ón bhFrainc a d'athbhunaigh na Cluichí Oilimpeacha sa ré nua sa bhliain 1896. Mar oideachasóir, d'aithin de Coubertin tábhacht an chorpoideachais i gcúrsaí oideachais. Throid sé go láidir chun an corpoideachas a chur ar churaclam na scoileanna sa Fhrainc ag an am. Mar staraí, bhí sé an-tógtha leis na cuntais a léigh sé faoi na cluichí a bhíodh acu sa tSean-Ghréig. San Aithin a tionóladh na chéad Chluichí Oilimpeacha sa ré nua. Reáchtáladh na Cluichí Oilimpeacha gach ceathrú bliain ó shin i leith seachas na blianta 1916, 1940 agus 1944 nuair a bhí an dá chogadh dhomhanda ar siúl. Is sa Chairt Oilimpeach a leagtar síos na prionsabail is ceart a leanúint sna Cluichí Oilimpeacha. De réir na bprionsabal sin, is tábhachtaí páirt a ghlacadh sna cluichí ná an bua a fháil iontu. Ba cheart an iomaíocht a bheith cothrom agus cóir i gcónaí, agus meas a bheith ag na hiomaitheoirí ar a chéile. Ar an ábhar sin, tá cosc iomlán ar dhrugaí a thugann buntáiste mímhacánta d'iomaitheoirí. Tá sé ina bhunphrionsabal de chuid na gCluichí Oilimpeacha gan ligean do lucht na polaitíochta mí-úsáid a bhaint as an spórt nó as na hiomaitheoirí ar mhaithe lena gcuspóirí polaitiúla féin.

2016 Léamhthuiscint A

Cleachtadh 6.13

1. _____
2. _____
3. _____

Na Bunuimhreacha

- **Bunuimhreacha** *(cardinal numbers)*: aon pheann amháin, dhá theach, trí chathaoir, ceithre gheata

- **Maoluimhreacha** *(cardinal numbers not immediately followed by a noun)*: a haon, a dó, a trí, a ceathair, a cúig, a sé

- **Orduimhreacha** *(ordinal numbers)*: an chéad phictiúr, an dara pictiúr, an tríú pictiúr

Bunuimhreacha

- **Séimhítear** consain i ndiaidh na n-uimhreacha 2–6 agus **uraítear** consain agus gutaí i ndiaidh na n-uimhreacha 7–10.

1	aon pheann amháin (peann amháin)	11	aon pheann déag
2	dhá pheann	12	dhá pheann déag
3	trí pheann	13	trí pheann déag
4	ceithre pheann	14	ceithre pheann déag
5	cúig pheann	15	cúig pheann déag
6	sé pheann	16	sé pheann déag
7	seacht bpeann	17	seacht bpeann déag
8	ocht bpeann	18	ocht bpeann déag
9	naoi bpeann	19	naoi bpeann déag
10	deich bpeann	20	fiche peann

	Consain	Gutaí
1: séimhiú ar chonsain	aon chathaoir amháin	aon úll amháin
2–6: séimhiú ar chonsain	dhá mhála	dhá úll
	trí charr	trí oráiste
	ceithre bhungaló	ceithre aiste
	cúig mhadra	cúig ionga
	sé chathaoir	sé úrscéal
7–10: urú ar chonsain agus ar ghutaí	seacht bhfadhb	seacht n-oíche
	ocht gcóipleabhar	ocht n-iarratas
	naoi gceacht	naoi n-aiste
	deich bpost	deich n-asal

- Séimhítear na consain **b, c, f, g, m** agus **p** tar éis **aon**, mar shampla:
  aon **bh**ileog amháin, aon **ch**athaoir amháin, aon **gh**eata amháin, aon **mh**adra **dh**éag.

- Ní shéimhítear na consain **d, s** ná **t** i ndiaidh **aon**, mar shampla:
  aon doras amháin, aon teach amháin, aon seans déag.

Cleachtadh 7.1

Athraigh na focail idir lúibíní.

1. Ocht (úll) _____
2. Ocht (aiste) _____
3. Ceithre (cóipleabhar) _____
4. Sé (post) _____
5. Naoi (fadhb) _____

6. Seacht (oráiste) _____
7. Dhá (seomra) _____
8. Aon (doras) _____
9. Cúig (pictiúrlann) _____
10. Seacht (fáinne) _____

Bunuimhreacha 21 ar aghaidh mar fhocail

	Consain	Gutaí
21	aon **bh**osca is fiche	aon óstán is fiche
35	cúig **ch**upán is tríocha	cúig úrscéal is tríocha
40	daichead peann	daichead iasc
47	seacht **ng**eansaí is daichead	seacht **n-e**ochair is daichead
69	naoi **bp**áiste is seasca	naoi **n-a**intín is seasca
82	dhá **bh**uidéal is ochtó	dhá áit is ochtó
98	ocht **bp**oitigéir is nócha	ocht **n-i**mreoir is nócha

Ní athraítear an t-ainmfhocal nuair a leanann sé uimhir atá inroinnte ar a deich mar **fiche**, **céad**, **míle**, **milliún** ach amháin uimhir a deich, mar shampla: fiche madra, caoga teach, seasca bord **ach** deich **mb**ord.

Cleachtadh 7.2

Scríobh na huimhreacha i bhfocail.

1. 11 cuileog _____
2. 20 cuileog _____
3. 35 eitleán _____
4. 38 eitleán _____
5. 40 féasóg _____
6. 51 féasóg _____
7. 60 iasc _____

8. 65 iasc _____
9. 72 marc _____
10. 76 marc _____
11. 83 peann _____
12. 86 peann _____
13. 91 teanga _____
14. 94 teanga _____

Cleachtadh 7.3

Scríobh na huimhreacha i bhfocail.

1. 25 (teach) _____
2. 30 (botún) _____
3. 91 (post) _____
4. 78 (siopa) _____
5. 57 (asal) _____

6. 80 (dalta) _____
7. 41 (biorán) _____
8. 66 (balún) _____
9. 71 (cupán) _____
10. 32 (camán) _____

Eisceachtaí

Tá foirmeacha faoi leith ag na hAinmfhocail thíos i ndiaidh na n-uimhreacha.

	2	3–6	7–10
Bliain	bhliain	bliana	mbliana
Ceann	cheann	cinn	gcinn
Cloigeann	chloigeann	cloigne	gcloigne
Fiche	fhichead	fichid	bhfichid
Orlach	orlach	horlaí	n-orlaí
Pingin	phingin	pingine	bpingine
Seachtain	sheachtain	seachtaine/í	seachtaine/í
Troigh	throigh	troithe	dtroithe
Uair	uair	huaire	n-uaire

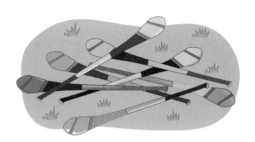

Cleachtadh 7.4

Athraigh na hainmfhocail más gá.

1. Cúig (bliain) _____
2. Sé (uair) _____
3. Trí (seachtain) _____
4. Ocht (pingin) _____
5. Deich (ceann) _____

6. Ceithre (orlach) _____
7. Dhá (bliain) _____
8. Aon (uair) _____
9. Ocht (orlach) _____
10. Cúig (pingin) _____

Cleachtadh 7.5

Aistrigh na focail seo a leanas.

1. Five years _____
2. Ten hours _____
3. Two inches _____
4. Seven pence _____
5. Three times _____

6. Six heads _____
7. Eight times _____
8. One year _____
9. Ten weeks _____
10. Nine inches _____

Séimhiú ar an déag

- Cuir séimhiú ar an **déag** i ndiaidh ainmfhocal a chríochnaíonn ar ghuta (a, e, i, o, u) go hiondúil.

- Úsáidtear an **Uimhir Uatha** den Ainmfhocal le **bunuimhreacha** go hiondúil.

Gnáthainmfhocail		Ainmfhocail eisceachtúla
Consain roimh dhéag	**Guta roimh dhéag**	
trí scoil déag	trí mhí dhéag	trí cinn déag
ceithre chathaoir déag	ceithre sheomra dhéag	ceithre bliana déag
cúig úll déag	cúig chluiche dhéag	cúig seachtaine déag
sé udarás déag	sé oíche dhéag	sé pingine déag
seacht bpost déag	seacht ngeata dhéag	seacht dtroithe déag
ocht n-eitleán déag	ocht bpointe dhéag	ocht n-orlaí déag
naoi bhfuinneog déag	naoi n-oráiste dhéag	naoi n-uaire déag

Cleachtadh 7.6

Scríobh na huimhreacha i bhfocail.

1. 12 oíche _____
2. 16 cluiche _____
3. 13 véarsa _____
4. 17 leaba _____
5. 11 scoil _____
6. 17 post _____
7. 11 bó _____
8. 14 fáinne _____
9. 15 athrú _____
10. 11 mála _____

Cleachtadh 7.7

Scríobh na huimhreacha i bhfocail.

1. 11 (beds) _____
2. 3 (verses) _____
3. 4 (computers) _____
4. 5 (bags) _____
5. 19 (subjects) _____
6. 2 (pints) _____
7. 16 (coats) _____
8. 7 (tables) _____
9. 12 (shops) _____
10. 10 (gates) _____

Cleachtadh 7.8

Aistrigh na habairtí seo a leanas.

1. She is seventeen years old. _____
   _____

2. There are fifteen apples in each box. _____
   _____

3. There are eighteen rooms in that hotel. _____

   _____

4. There are twelve gates on that farm. _____

   _____

5. There were seventeen jobs in that company. _____

   _____

6. There are fifteen bags in the corner of the room. _____
   _____

7. There are fifteen tables in the room. _____
   _____

8. I played twelve games last month. _____
   _____

9. I ate three oranges today. _____
   _____

10. There were twelve changes to the show. _____
    _____

Maoluimhreacha

0	a náid		
1	a haon	11	a haon déag
2	a dó	12	a dó dhéag
3	a trí	13	a trí déag
4	a ceathair	14	a ceathair déag
5	a cúig	15	a cúig déag
6	a sé	16	a sé déag
7	a seacht	17	a seacht déag
8	a hocht	18	a hocht déag
9	a naoi	19	a naoi déag
10	a deich	20	fiche

Seo an bealach is fearr leis na huimhreacha os cionn 20 a scríobh:

21	fiche a haon
32	tríocha a dó
43	daichead a trí
54	caoga a ceathair
65	seasca a cúig
76	seachtó a sé
87	ochtó a seacht

98	nócha a hocht
100	céad
110	céad a deich
211	dhá chéad a haon déag
312	trí chéad a dó dhéag
413	ceithre chéad a trí déag
520	cúig chéad a fiche

Cleachtadh 7.9

Scríobh na huimhreacha i bhfocail.

1. 25 _____
2. 39 _____
3. 200 _____
4. 225 _____
5. 330 _____

6. 444 _____
7. 560 _____
8. 643 _____
9. 789 _____
10. 895 _____

Orduimhreacha

- Cuirtear séimhiú ar **céad** agus ar an Ainmfhocal a leanann é; mar shampla, an chéad fhear, an chéad bhliain.

- Ní chuirtear séimhiú ar **d**, ar **t** ná ar **s** nuair a leanann siad **céad;** mar shampla, an chéad doras, an chéad teach, an chéad seachtain.

- Má thosaíonn an t-ainmfhocal le **a**, **e**, **i**, **o** nó **u**, cuirtear **h** roimhe, ach amháin i gcás **céad;** mar shampla, an dara háit, an tríú heitleán, an ceathrú hionga, an cúigiú horáiste, an séú húll **ach** an chéad áit.

- Tabhair faoi deara **nach** séimhítear **déag** riamh i gcás na n-orduimhreacha; mar shampla, an t-aonú lá déag.

Uimhir	Consain	Guta
1ú	an chéad chailín	an chéad áit
2ú	an dara cailín	an dara háit
3ú	an tríú cailín	an tríú háit
4ú	an ceathrú cailín	an ceathrú háit
5ú	an cúigiú cailín	an cúigiú háit
6ú	an séú cailín	an séú háit
7ú	an seachtú cailín	an seachtú háit
8ú	an t-ochtú cailín	an t-ochtú háit
9ú	an naoú cailín	an naoú háit
10ú	an deichiú cailín	an deichiú háit

Uimhir	Consain	Guta
11ú	an t-aonú cailín déag	an t-aonú háit déag
12ú	an dara/dóú cailín déag	an dara/dóú háit déag
13ú	an tríú cailín déag	an tríú háit déag
14ú	an ceathrú cailín déag	an ceathrú háit déag
15ú	an cúigiú cailín déag	an cúigiú háit déag
16ú	an séú cailín déag	an séú háit déag
17ú	an seachtú cailín déag	an seachtú háit déag
18ú	an t-ochtú cailín déag	an t-ochtú háit déag
19ú	an naoú cailín déag	an naoú háit déag
20ú	an fichiú cailín	an fichiú háit
21ú	an t-aonú cailín is fiche	an t-aonú háit is fiche
30ú	an tríochadú cailín	an tríochadú háit
32ú	an dara cailín is tríocha	an dara háit is tríocha
33ú	an tríú cailín is tríocha	an tríú háit is tríocha
40ú	an daicheadú cailín	an daicheadú háit
42ú	an dara cailín is daichead	an dara háit is daichead
43ú	an tríú cailín is daichead	an tríú háit is daichead
44ú	an ceathrú cailín is daichead	an ceathrú háit is daichead
45ú	an cúigiú cailín is daichead	an cúigiú háit is daichead
50ú	an caogadú cailín	an caogadú háit
54ú	an ceathrú cailín is caoga	an ceathrú háit is caoga
70ú	an seachtódú cailín	an seachtódú háit
100ú	an céadú cailín	an céadú háit

Cleachtadh 7.10

Scríobh na huimhreacha i bhfocail.

1. An 1ú amadán _____
2. An 5ú asal _____
3. An 7ú bean _____
4. An 12ú imreoir _____
5. An 3ú deirfiúr _____
6. An 41ú múinteoir _____
7. An 19ú fear _____
8. An 35ú pluiméir _____
9. An 89ú duine _____
10. An 5ú gairdín _____

Cleachtadh 7.11

Scríobh na huimhreacha i bhfocail.

1. An 1ú buachaill _____

2. An 3ú amadán _____

3. An 5ú ceacht _____

4. An 7ú dochtúir _____

5. An 16ú deartháir _____

6. An 25ú bádóir _____

7. An 37ú altra _____

8. An 50ú duine _____

9. An 100ú lá _____

10. An 60ú madra _____

Cleachtadh 7.12

Aistrigh na habairtí seo a leanas.

1. The third donkey went to the second field.

   _____

   _____

2. This is our fifth essay this year.

   _____

3. We had great fun on the fortieth night.

   _____

4. This is our fourth child.

   _____

5. The fifth child came in second place in the competition.

   _____

6. I am in Sixth Year.

   _____

7. She ran her fifth race this year.

   _____

8. This is his ninth year as a teacher.

   _____

9. She is in third year.

   _____

10. Michael D. Higgins is the ninth president of Ireland.

    _____

Cleachtadh ar cheist na gramadaí don tSraith Shóisearach

Athraigh na focail idir lúibíní más gá.

Tá go leor rudaí sa phantrach a dúirt Mam. Tá seacht (úll) (1) déag, ocht (oráiste) (2), cúig (buidéal) (3) de dheochanna súilíneacha, go leor barraí seacláide agus cáca milis mór. Bhí gach duine ar bís mar ba é sin an chéad (cóisir) (4) a bhí acu sa teach dá mac óg, Seán, a bhí dhá (bliain) (5) d'aois. Bhí an dhá (reoiteoir) (6) lán le huachtar reoite freisin. Bhí gach éinne ag tnúth go mór leis an gcóisir seo.

Cleachtadh 7.13

1. _____   4. _____

2. _____   5. _____

3. _____   6. _____

Cleachtadh ar cheist 6A don Ardteistiméireacht

Aimsigh na huimhreacha sna hailt ó léamthuiscintí na hArdteistiméireachta thíos.

Cruachás na nDaoine gan Dídean

De réir Airteagal 25 de Dhearbhú Uilechoiteann Chearta an Duine, tá gach saoránach i dteideal foscadh a bheith aige. Rinneadh suirbhé oíche an 11 Samhain agus fuarthas amach go raibh céad seasca is a hocht nduine ina gcodladh amuigh ar shráideanna na hardchathrach. Ba é sin an líon ba mhó le seacht mbliana anuas. Ní fhéadfaí a rá go raibh a gcearta á bhfáil acu siúd a bhí ina luí ar na sráideanna i málaí codlata nó i mboscaí cairtchláir an oíche sin ná oíche ar bith eile. Ba ghlaoch chun gnímh é an suirbhé sin agus na tuairiscí éagsúla sna meáin. Ghníomhaigh an Rialtas láithreach. D'eagraigh siad cruinniú speisialta le dul i ngleic le fadhb na heaspa tithíochta. Bhí polaiteoirí, ionadaithe ó na húdaráis áitiúla agus ó na heagraíochtaí carthanachta i láthair. Gheall an Rialtas ag an gcruinniú sin go gcuirfí fiche milliún euro ar fáil chun dídean éigeandála a chur ar fáil do dhuine ar bith a bheadh á hiarraidh le linn shéasúr na Nollag. Beart fiúntach ba ea é, ach seift ghearrthéarmach a bhí ann san am céanna.

2015 Léamhthuiscint B

Raidió na Gaeltachta: 40 Bliain ar an Aer

Bíonn gach tús lag a deirtear agus níorbh aon eisceacht é an raidió seo. Ní raibh na stiúideonna i nDoirí Beaga ná i mBaile na nGall tógtha nuair a bhí an tseirbhís ag tosú ná ní raibh an cheanncheathrú i gCasla feistithe amach mar ba chóir. B'éigean an chéad chraoladh ar Dhomhnach Cásca 1972 a dhéanamh as stiúideo RTÉ i gcathair na Gaillimhe. Ní chraoltaí ach cúpla uair an chloig gach tráthnóna i dtús ama agus bhí an tseirbhís teoranta do na ceantair Ghaeltachta amháin. Is mór idir sin agus an raidió sa lá atá inniu ann. Seoladh beoshruth Raidió na Gaeltachta ar an idirlíon i mBealtaine 2000 agus tá fáil anois ar na cláir áit ar bith ar domhan. Ó bhí an chéad lá de Dheireadh Fómhair 2001 ann, tá an stáisiún ag craoladh gan stad ó cheann ceann an lae.

2013 Léamhthuiscint B

Cleachtadh 7.14

1. _____   2. _____

Na hUimhreacha Pearsanta

Ag Comhaireamh Daoine

Ag comhaireamh deirfiúracha agus ag comhaireamh buachaillí

deirfiúr amháin	buachaill amháin
beirt deirfiúracha	beirt bhuachaillí
triúr deirfiúracha	triúr buachaillí
ceathrar deirfiúracha	ceathrar buachaillí
cúigear deirfiúracha	cúigear buachaillí
seisear deirfiúracha	seisear buachaillí
seachtar deirfiúracha	seachtar buachaillí
ochtar deirfiúracha	ochtar buachaillí
naonúr deirfiúracha	naonúr buachaillí
deichniúr deirfiúracha	deichniúr buachaillí

Rialacha le foghlaim

- Cuireannn **beirt séimhiú** ar an Ainmfhocal a thagann ina diaidh; mar shampla: beirt mhúinteoirí, beirt fhear, beirt bhádóirí, beirt mhúinteoirí.

- Má thosaíonn an t-ainmfhocal ar **d**, **t** nó **s** ní shéimhítear é i ndiaidh beirt; mar shampla: beirt tuismitheoirí, beirt Taoiseach, beirt sagart, beirt dochtúirí, beirt siúinéirí.

- Cuirtear an t-ainmfhocal sa Ghinideach Iolra tar éis na n-uimhreacha pearsanta; mar shampla: **triúr** deartháireacha, **ceathrar** buachaillí, **cúigear** múinteoirí, **beirt** fhear, **triúr** amadán, **ceathrar** mac.

Ag comhaireamh daoine os cionn 10

Riail le foghlaim

Cuirtear urú ar an Ainmfhocal tar éis 17–19 agus tar éis 27–29 agus araile.

11	aon duine dhéag	21	aon duine is fiche
12	dháréag	22	dhá dhuine is fiche
13	trí dhuine dhéag	23	trí dhuine is fiche
14	ceithre dhuine dhéag	24	ceithre dhuine is fiche
15	cúig dhuine dhéag	25	cúig dhuine is fiche
16	sé dhuine dhéag	26	sé dhuine is fiche
17	seacht nduine dhéag	27	seacht nduine is fiche
18	ocht nduine dhéag	28	ocht nduine is fiche
19	naoi nduine dhéag	29	naoi nduine is fiche
20	fiche duine	30	tríocha duine

Cleachtadh 8.1

Scríobh na huimhreacha i bhfocail.

1. 2 fiaclóir _____
2. 26 cailín _____
3. 6 sagart _____
4. 14 feirmeoir _____
5. 5 múinteoir _____

6. 16 gasúr _____
7. 17 buachaill _____
8. 50 duine _____
9. 7 ceoltóir _____
10. 9 uncail _____

Cleachtadh 8.2

Scríobh na huimhreacha i bhfocail.

1. 2 iomaitheoir _____
2. 15 uachtarán _____
3. 19 garraíodóir _____
4. 7 oifigeach _____
5. 14 páiste _____

6. 25 bádóir _____
7. 40 ealaíontóir _____
8. 8 athair _____
9. 35 cuntasóir _____
10. 22 dalta _____

Cleachtadh 8.3

Scríobh na huimhreacha i bhfocail

1. 25 fear _____
2. 45 cailín _____
3. 56 múinteoir _____
4. 67 feirmeoir _____
5. 74 bean _____

6. 89 poitigéir _____
7. 90 údar _____
8. 97 príomhoide _____
9. 100 Garda _____
10. 120 polaiteoir _____

Cleachtadh 8.4

Scríobh na huimhreacha i bhfocail.

1. 10 sagart _____
2. 5 altra _____
3. 16 imreoir _____
4. 5 ionadaí _____
5. 18 amadán _____
6. 5 údar _____
7. 28 iascaire _____
8. 10 múinteoir _____
9. 17 dalta _____
10. 1 buachaill _____

Cleachtadh 8.5

Scríobh na huimhreacha i bhfocail.

1. Tá (13 duine) _____ sa rang sin.
2. Feicim (7 cailín) _____ sa chlós.
3. Faigheann (10 fear) _____ an pinsean gach Aoine.
4. Chuala mé go raibh (3 bean) _____ sa ghairdín.
5. Bíonn (6 imreoir) _____ ar gach foireann.
6. Tá (1 buachaill) _____ sa ghluaisteán sin.
7. Éisteann an (9 bean) _____ sin leis an raidió gach lá.
8. Téann an (5 déagóir) _____ sin go dtí an trá chéanna gach bliain.
9. Is aoibhinn leis an (4 buachaill) _____ dul chuig an bpictiúrlann.
10. Tá (11 uncail) _____ sa chlann sin.

Cleachtadh ar cheist na gramadaí don tSraith Shóisearach

Athraigh na focail idir lúibíní más gá.

Labhair an múinteoir le (cúig duine) (1) mar gheall ar uimhreacha pearsanta. Thaispeáin an múinteoir íomhánna difriúla dóibh agus d'iarr sé orthu na huimhreacha a rá os ard. An chéad íomhá a thaispeáin sé ná: (sé duine) (2), an dara híomhá ná (seacht duine) (3), an tríú híomhá ná (naoi duine) (4), an ceathrú híomhá ná (dhá duine) (5) agus an íomhá dheireanach ná (duine amháin) (6).

Cleachtadh 8.6

1. _____

2. _____

3. _____

4. _____

5. _____

6. _____

Cleachtadh ar cheist 6A don Ardteistiméireacht.

Aimsigh na huimhreacha pearsanta sna hailt ó léamthuiscintí na hArdteistiméireachta thíos.

Raidió na Gaeltachta: 40 Bliain ar an Aer

Bhí bliain an-speisialta ag RTÉ Raidió na Gaeltachta anuraidh, 2012. Bhí an stáisiún raidió sin ag ceiliúradh dhá scór bliain ar an aer ó bunaíodh é sa bhliain 1972. Ba é an chéad stáisiún Gaeilge é a bhí ag craoladh go laethúil. Thug sé deis do mhuintir na Gaeltachta agus do lucht labhartha na Gaeilge iad féin a chur in iúl ina dteanga féin sna meáin chumarsáide. I mí Aibreáin 2012 cuireadh tús leis na himeachtaí ceiliúrtha. Craoladh clár fíorspéisiúil ar an dara lá d'Aibreán 2012. Bhí cúigear as an seachtar craoltóirí a thosaigh ar an stáisiún daichead bliain roimhe sin sa stiúideo arís, le labhairt faoi na laethanta tosaigh. Thagair siad do na dúshláin agus do na deacrachtaí a bhí rompu na laethanta sin agus labhair siad freisin faoin bpribhléid a bhí acu muintir na nGaeltachtaí éagsúla a nascadh le chéile ar an aer.

2013 Léamhthuiscint B

Cruachás na nDaoine gan Dídean

De réir Airteagal 25 de Dhearbhú Uilechoiteann Chearta an Duine, tá gach saoránach i dteideal foscadh a bheith aige. Rinneadh suirbhé oíche an 11 Samhain agus fuarthas amach go raibh céad seasca is a hocht nduine ina gcodladh amuigh ar shráideanna na hardchathrach. Ba é sin an líon ba mhó le seacht mbliana anuas. Ní fhéadfaí a rá go raibh a gcearta á bhfáil acu siúd a bhí ina luí ar na sráideanna i málaí codlata nó i mboscaí cairtchláir an oíche sin ná oíche ar bith eile. Ba ghlaoch chun gnímh é an suirbhé sin agus na tuairiscí éagsúla sna meáin. Ghníomhaigh an Rialtas láithreach. D'eagraigh siad cruinniú speisialta le dul i ngleic le fadhb na heaspa tithíochta. Bhí polaiteoirí, ionadaithe ó na húdaráis áitiúla agus ó na heagraíochtaí carthanachta i láthair. Gheall an Rialtas ag an gcruinniú sin go gcuirfí fiche milliún euro ar fáil chun dídean éigeandála a chur ar fáil do dhuine ar bith a bheadh á hiarraidh le linn shéasúr na Nollag. Beart fiúntach ba ea é, ach seift ghearrthéarmach a bhí ann san am céanna.

2015 Léamhthuiscint B

Cleachtadh 8.7

1. _____

2. _____

An Chopail a thugtar ar an mbriathar **is**. Is briathar uireasach (*a defective verb*) é, is é sin le rá nach bhfeidhmíonn sé mar a fheidhmíonn briathra eile. Is féidir an Chopail a úsáid san **Aimsir Láithreach**, san **Aimsir Chaite**, sa **Mhodh Coinníollach** agus sa **Mhodh Foshuiteach** (*the Subjunctive Mood, which is used to express a goal or a purpose after* 'go', 'sula' *and* 'mura').

An Chopail san Aimsir Láithreach

1. Le hAinmfhocail

Samplaí

- Is dochtúir é Seán. Is ainmhí í an bhó. Is éan é an spideog.
- Ní ainmhí é crann. Ní iománaí é Peadar. Ní múinteoir í Máire.
- An feirmeoir é Pádraig? Is ea/Ní hea. An leabhar é sin? Is ea/Ní hea.
- An buachaill nó cailín a rugadh dóibh? Cailín.
- Nach ainmhí allta é? Is ea/Ní hea.
- Nach altra í a mháthair? Is ea/Ní hea.

2. Le hAidiacht

Samplaí

- Is deas an lá é. Is aoibhinn an tráthnóna é. Is bocht an scéal é.
- Ní fada uainn na laethanta saoire. Ní maith an rud é. Ní minic a tharlaíonn sé.
- An maith an rud é? Is maith/Ní maith. An galánta an gúna í? Is galánta/Ní galánta.
- Nach maith an peileadóir é? Is maith/Ní maith. Nach iontach an rinceoir í? Is iontach/Ní iontach. Nach uafásach an scéal é? Is uafásach/Ní uafasach.

3. Le Réamhfhocal/Forainm Réamhfhoclach

Samplaí

- Is le Seán an rothar sin. Is leo an teach thall. Is duit is measa.
- Ní le Máire an peann sin. Ní leis an cóta mór. Ní linne é.
- An le Nóra an peann luaidhe? Is léi./Ní léi. An leatsa an hata? Is liom/Ní liom.
- Nach libhse na milseáin? Is linn/Ní linn. Nach uaidh a fuair tú é? Is uaidh/Ní uaidh.
- Nach orthu a bhí an milleán? Is orthu./Ní orthu.

4. Le Forainm Pearsanta

Samplaí

- Is mé a bhí ann. Is iad a rinne an dochar. Is sinn atá freagrach.

- Ní hiad atá ciontach. Ní hí a chonaic mé. Ní mise a bhí ag caint.

- An tusa Máire? Is mé/Ní mé. An é sin Séamas? Is é/Ní hé. An sibhse a bhí ag pleidhcíocht? Is sinn/Ní sinn. Cé thusa? Is mise Síle.

- Nach sibhse a rinne é? Is sinn/Ní sinn. Nach tusa Eibhlín? Ní mé, is mise Bróna. Nach iad atá dána? Is iad/Ní hiad, is daoine gan dochar iad.

An Fhoirm Cheisteach agus Dhiúltach san Aimsir Láithreach

Ceisteach			
Dearfach (+)	**Diúltach (−)**	**Dearfach (+)**	**Diúltach (−)**
an	nach	is	ní
		(spleách) gur (roimh chonsan agus roimh ainmfhocail a thosaíonn ar ghutaí) gurb (roimh aidiachtaí nó forainmneacha a thosaíonn ar ghutaí)	nach

Samplaí

Ceisteach Dearfach (+)/ Diúltach (−)	Dearfach (+)	Diúltach (−)
An/nach duine deas mé?	Is duine deas mé.	Ní duine deas mé.
An/nach fear deas é?	Is fear deas é.	Ní fear deas é.
An/nach bean álainn í?	Is bean álainn í.	Ní bean álainn í.
An/nach fear maith tú?	Is fear maith tú.	Ní fear maith thú.
An/nach cailíní maithe sinn?	Is cailíní maithe sinn.	Ní cailíní maithe sinn.
An/nach múinteoirí sibh?	Is múinteoirí sibh.	Ní múinteoirí sibh.
An/nach Astrálaigh iad?	Is Astrálaigh iad.	Ní Astrálaigh iad.

Dearfach (+) (spleách)	Diúltach (−) (spleách)
Deirtear gur duine deas mé.	Deirtear nach duine deas mé.
Sílim gur fear deas é.	Sílim nach fear deas é.
Ceapaim gurb álainn an bhean í.	Ceapaim nach álainn an bhean í.
Deir sé gurb é an buachaill is fearr sa scoil.	Deir sé nach é an buachaill is fearr sa scoil.
Sílim gur cailíní maithe sinn.	Sílim nach cailíní maithe sinn.
Is dóigh liom gur múinteoirí sibh.	Is dóigh liom nach múinteoirí sibh.
Is dócha gur Astrálaigh iad.	Is dócha nach Astrálaigh iad.

Cleachtadh 9.1

Freagair na ceisteanna seo.

	Dearfach (+)	Diúltach (−)
1. An é Seán an fear is fearr sa chluiche?		
2. Nach múinteoir í Síle?		
3. An dalta thú?		
4. An dochtúir thú?		
5. An ceoltóirí maithe iad Picture This?		
6. An agatsa atá mo mhálaí?		
7. An é Seán an duine is óige sa teaghlach?		
8. Nach altra í do dheirfiúr?		
9. An aoibhinn leat seacláid?		
10. An maith leat peil na mban?		

Cleachtadh 9.2

Cuir isteach an focal ceart.

1. Ceapaim _____ duine deas í Áine (dearfach).
2. Measaim _____ amadán é Breandán (diúltach).
3. Deirtear _____ óinseach í Siobhán (dearfach).
4. Sílim _____ fear deas é Fionntán (dearfach).
5. Measaim _____ cailín dearfach í Pádraigín (diúltach)
6. Sílim _____ duine diúltach é Conchúir (dearfach).
7. Measaim _____ dochtúir í an bhean sin (dearfach).
8. Ceapaim _____ Astrálaigh iad (dearfach).
9. Sílim _____ peileadóir é (dearfach).
10. Measaim _____ ceoltóir í (diúltach).

Cleachtadh 9.3

Aistrigh na habairtí seo a leanas.

1. I am a nice person.

_____

2. She is a nice person.

_____

3. You are teachers.

_____

4. I think he is a nice man.

_____

5. I do not think we are good girls.

_____

6. You are not a good man.

_____

7. They are Australian.

_____

8. It is said that I am a nice person.

_____

9. It is said that he is not the best student.

_____

10. I think they are Irish.

_____

An Chopail san Aimsir Chaite agus sa Mhodh Coinníollach

1. Le hAinmfhocal

Samplaí

- Ba dhochtúir é a hathair. B'fheirmeoir maith é. B'aiste an-mhaith í.
- Níor shaighdiúirí iad. Níor chapaill ráis iad. Níor lá deas é.
- Arbh altra í a máthair? Ba ea/Níorbh ea. Arbh iománaí é? Ba ea/Níorbh ea.
- Nár chapall bán é? Ba ea/Níorbh ea. Nár lá breá é? Ba ea/Níorbh ea.

2. Le hAidiacht

Samplaí

- Ba dheas an tráthnóna é. B'iontach an radharc é. Ba mhaith liom é sin a dhéanamh. (MC)
- Níor bheag an slua é. Níorbh álainn an foirgneamh é. Níor mhian léi dul chuig na pictiúir. (MC)
- Ar láidir an fear é? Ba láidir/Níor láidir. Arbh aoibhinn an mhaidin í? B'aoibhinn/Níorbh aoibhinn. Ar mhaith leat teacht ag rothaíocht liom? (MC) Ba mhaith/Níor mhaith. Arbh fhiú an gúna nua sin a cheannach? (MC) B'fhiú/Níorbh fhiú.
- Nár dhona an cluiche é? Ba dhona/Níor dhona. Nárbh aisteach an scéal é? B'aisteach/Níorbh aisteach. Nár mhaith leat an leabhar sin a cheannach? (MC) Ba mhaith/Níor mhaith.

3. Le Réamhfhocal (Forainm Reamhfhoclach)

Samplaí

- Is le Seán an cóipleabhar a fuarthas ar an talamh. Is uaithi a fuair mé an peann. Is againn a bhí na freagraí go léir.
- Ní le Síle an mála scoile a bhí caite sa chlós. Ní uathu a fuaireamar an t-eolas sin. Ní ormsa a bhí an milleán nuair a chailleamar an cluiche.
- An le Máire an cupán a briseadh? Is léi/Ní léi. An uathusan a chuala sibh an scéal sin? Is uathu/Ní uathu. An ort a cuireadh an milleán? Is ormsa/Ní ormsa.

- Nach le Síle an peann a fuair Nóirín ar an urlár? Is léi/Ní léi. Nach daoibhse a thug an Príomhoide léasadh teanga? Is dúinn/Ní dúinn. Nach uainne a fuair sibh an dea-scéala? Is uaibh/Ní uaibh.

4. Le Forainm Pearsanta

Samplaí

- Is tusa a bhí ag caint. Is í a chan an t-amhrán. Is eisean a thug an leabhar dom.

- Ní hiad a bhí ag troid. Ní tusa a labhair le Bríd. Ní eisean a bhí ar an gclár teilifíse.

- An tusa a bhí ciontach? Is mé/Ní mé. Arbh iad a rinne an damáiste? Ba iad/Níorbh iad. An sibhse a bhí déanach ar maidin? Is sinn/Ní sinn.

- Nach iadsan a bhí ag argóint inné? Is iad/Ní hiad. Nach tusa a bhí thíos leis? Is mé/Ní mé. Nach ise a cheannaigh bróga nua? Is í/Ní hí.

An Fhoirm Dhiúltach agus Cheisteach san Aimsir Chaite agus sa Mhodh Coinníollach

An Aimsir Láithreach Roimh chonsain agus roimh fl–, fr–		An Aimsir Chaite agus an Modh Coinníollach	
		Roimh ghutaí agus roimh f + guta	
Dearfach (+)	is	ba	b'
Diúltach (–)	ní	níor	níorbh
Ceisteach	an	ar	arbh
Ceisteach diúltach	nach	nár	nárbh
Spleách	gur(b)	gur	gurbh

Samplaí

Ceisteach Dearfach (+)/ Diúltach	Dearfach (+)	Diúltach (–)
Ar/nár dhuine deas mé?	Ba dhuine deas mé.	Níor dhuine deas mé.
Ar/nárbh fhear deas é?	B'fhear deas é.	Níorbh fhear deas é.
Ar/nár bhean álainn í?	Ba bhean álainn í.	Níor bhean álainn í.
Ar/nárbh fhear maith thú?	B'fhear maith thú.	Níorbh fhear maith tú.
Ar/nár chailíní maithe sinn?	Ba chailíní maithe sinn.	Níor chailíní maithe sinn.
Ar/nár mhúinteoirí sibh?	Ba mhúinteoirí sibh.	Níor mhúinteoirí sibh.
Ar/nárbh Astrálaigh iad?	B'Astrálaigh iad.	Níorbh Astrálaigh iad.

Dearfach (+) (spleách)	Diúltach (−) (spleách)
Deirtear gur dhuine deas mé.	Deirtear nár dhuine deas mé.
Sílim gurbh fhear deas é.	Sílim nárbh fhear deas é.
Ceapaim gurbh álainn an bhean í.	Ceapaim nárbh álainn an bhean í.
Deir sé gurbh é an buachaill ab fhearr sa scoil é.	Deir sé nárbh é an buachaill ab fhearr sa scoil é.
Sílim gur chailíní maithe sinn.	Sílim nár chailíní maithe sinn.
Is dóigh liom gur mhúinteoirí sibh.	Is dóigh liom nár mhúinteoirí sibh.
Is dócha gurbh Astrálaigh iad.	Is dócha nárbh Astrálaigh iad.

Cleachtadh 9.4

Freagair na ceisteanna seo.

		Dearfach (+)	**Diúltach (−)**
1.	Ar cheoltóirí maithe iad Picture This?		
2.	Nár mhúinteoir í Síle?		
3.	Ar dhalta thú?		
4.	Nár dhochtúir thú?		
5.	Nárbh é Seán an fear ab fhearr sa chluiche?		
6.	Nach agatsa a bhí mo mhálaí?		
7.	Nárbh í Nicola an duine ab óige sa teaghlach?		
8.	Nárbh altra í do dheirfiúr?		
9.	Nárbh aoibhinn leat seacláid?		
10.	Ar mhaith leat Peil na mBan?		

Cleachtadh 9.5

Líon na bearnaí. Tá na habairtí seo san Aimsir Chaite/san Mhodh Coinníollach.

1. Ceapaim _____ dhuine deas í Áine (dearfach).

2. Measaim _____ amadán é Breandán (diúltach).

3. Deirtear _____ óinseach í Siobhán (dearfach).

4. Sílim _____ fhear deas é Fionntán (dearfach).

5. Measaim _____ chailín dearfach í Pádraigín (diúltach).

6. Sílim _____ dhuine diúltach é Conchúir (dearfach).

7. Measaim _____ dhochtúir í an bhean sin (diúltach).

8. Ceapaim _____ Astrálaigh iad (dearfach).

9. Sílim _____ pheileadóir í (dearfach).

10. Measaim _____ cheoltóir í (dearfach).

Cleachtadh 9.6

Aistrigh na habairtí seo a leanas.

1. I was a nice person.

   _____

2. She was a nice person.

   _____

3. You were teachers.

   _____

4. I think he was a nice man.

   _____

5. I do not think we were good girls.

   _____

6. You were not a good man.

   _____

7. They were Australian.

   _____

8. It is said that I was a nice person.

   _____

9. It is said that I was not a good student.

   _____

10. I think they were good footballers.

    _____

An Chopail sa Mhodh Foshuiteach

Samplaí

Gura fada buan tú.	_May you live long._
Gura slán an scéalaí.	_God bless the bringer of good news._
Gurab amhlaidh duit.	_The same to you._

Treisiú leis an gCopail (*emphasis with the copula*)

Samplaí

- Is é **mac Thomáis** a bhí ann.
- Ní hí **Síle** a chuaigh abhaile go luath.
- Is go **Luimneach** a chuaigh siad.
- Is **ag imirt cluichí** atá siad anois.
- Ní **go maith** a bhí sí ag brath.

- Is **dom** is eol.
- Nach **leatsa** an leabhar sin?
- B'**fhada** leis go dtiocfaidís.
- Is ag Nóra **ba cheart** iad a bheith.

Cleachtadh ar cheist na gramadaí don tSraith Shóisearach

Cuir sa Mhodh Coinníollach iad.

(Is maith) (1) liom a bheith ag fámaireacht timpeall an hÉireann. (Is breá) (2) liom a bheith ag taisteal le mo theaghlach ar Shlí an Atlantaigh Fhiáin. Dá mbeadh an deis agam (is maith) (3) liom dul go gach cearn den tír álainn. Anuraidh ní raibh ach am againn dul chuig Corcaigh agus Ciarraí. Dá rachaimis ar ais arís an bhliain seo chugainn (is maith) (4) liom dul go dtí An Clár agus Gaillimh. (Is fearr) (5) liom na contaetha seo mar is as an gClár do mo sheantuismitheoirí.

Cleachtadh 9.7

1. _____
2. _____
3. _____

4. _____
5. _____

Cleachtadh ar cheist 6A don Ardteistiméireacht.

Aimsigh dhá shampla den Chopail sna hailt ó léamthuiscintí na hArdteistiméireachta.

An Cogadh sa tSiria agus Géarchéim na nDídeanaithe

Dídeanaí inspioráideach is ea Nujeen Mustafa. Níl lúth na gcos aici agus tá sí ag brath ar chathaoir rothaí. Nuair a bhí sí sé bliana déag d'aois, d'fhág sí a baile agus a tuismitheoirí sa tSiria. Sháraigh sí na constaicí iomadúla a bhíonn roimh gach dídeanaí – bád a aimsiú, turas dainséarach a dhéanamh, teorainneacha a thrasnú - ach bhí éachtaí sa bhreis air sin ag baint le turas Nujeen. D'éirigh léi turas éachtach a dhéanamh go dtí an Ghearmáin – turas 3,500 míle trasna naoi dtír éagsúla ina cathaoir rothaí in éineacht lena deirfiúr, Nasrine, a bhí ag brú a cathaoireach. D'fhulaing Nujeen pian agus anró ina cathaoir rothaí ach níor chaill sí féin ná a deirfiúr dóchas riamh. D'éirigh leo an Ghearmáin a bhaint amach i mí Mheán Fómhair 2015 agus tá siad ina gcónaí in árasán ar imeall chathair Cologne anois. Tá Nujeen ag freastal ar scoil anois, den chéad uair ina saol. Ní bhfuair sí oideachas foirmiúil sa tSiria mar ní raibh mórán áiseanna sna scoileanna ansin do dhaoine faoi mhíchumas. Tá a cuid aislingí féin ag Nujeen anois – ba mhaith léi a bheith ina spásaire agus taisteal sa spás, agus ba mhaith léi dul go Londain chun bualadh leis an mbanríon. Is é mana Nujeen gur cóir do dhuine troid ar son na rudaí is mian leis a bhaint amach sa saol.

2017 Léamhthuiscint B

Ceiliúradh ar an Oidhreacht Chultúrtha agus ar an nGaeilge

Tá tírdhreach na hÉireann breac le séadchomharthaí seandálaíochta, le foirgnimh stairiúla agus le páirceanna náisiúnta. Tá dhá Láithreán Oidhreachta Dhomhanda againn sa tír seo, Brú na Bóinne agus Sceilg Mhichíl. Is áit é Láithreán Oidhreachta Domhanda a n-aithnítear a luach cultúrtha ar fud an domhain agus ar gá é a chosaint ar aon damáiste a bhainfí dó. Aithnítear Brú na Bóinne as na tuamaí pasáiste Neoiliteacha atá ann. Tá stádas speisialta ag Sceilg Mhichíl mar gheall ar an mainistir a tógadh ansin idir an séú haois agus an t-ochtú haois. Tá gnéithe d'oidhreacht chultúrtha na hÉireann caomhnaithe sna lámhscríbhinní, sna bailiúcháin leabhar, sna cartlanna agus sna músaeim ó cheann ceann na tíre. Tá Cnuasach Bhéaloideas Éireann i gColáiste na hOllscoile, Baile Átha Cliath, ar na bailiúcháin bhéaloidis is mó ar domhan. Is cnuasach é de litríocht bhéil, de sheanscéalta, d'fhilíocht agus de sheanchas na hÉireann, agus tá cuntais ar fáil ann freisin ar a lán de nósanna traidisiúnta na tíre atá ag dul i léig nó imithe as faoi seo. Tá cineál speisialta scríbhneoireachta le feiceáil ar chlocha ina lán áiteanna sa tír. Ogham a thugtar air. Is é an tOgham an leagan is sine de scríbhneoireacht na Gaeilge atá ar fáil. Is seoda náisiúnta iad na clocha Oghaim. Tá cuid acu ann ón gcúigiú haois.

2018 Léamhthuiscint B

Cleachtadh 9.8

1. _____

2. _____

Na Briathra Neamhrialta

Tá aon bhriathar déag sa ghrúpa seo. Athraíonn an fhréamh ó aimsir go haimsir.

Seo iad na briathra neamhrialta: **abair**, **beir**, **bí**, **clois**, **déan**, **faigh**, **feic**, **ith**, **tabhair**, **tar** agus **téigh**.

Foghlaim an rím seo agus cabhróidh sé leat iad a fhoghlaim:

I	–	**I**th
Buy	–	**B**í
All	–	**A**bair
The	–	**T**éigh
Food	–	**F**eic
Close	–	**C**lois
To	–	**T**ar
The	–	**T**abhair
Big	–	**B**eir
Fox	–	**F**aigh
Den	–	**D**éan

Abair	Beir	Bí
dúirt mé	rug mé	bhí mé
dúirt tú	rug tú	bhí tú
dúirt sé/sí	rug sé/sí	bhí sé/sí
dúramar	rugamar	bhíomar
dúirt sibh	rug sibh	bhí sibh
dúirt siad	rug siad	bhí siad
ní dúirt mé	níor rug mé	ní raibh mé
an ndúirt tú?	ar rug tú?	an raibh tú?
dúradh (saorbhriathar)	rugadh (saorbhriathar)	bhíothas (saorbhriathar)

Clois	Déan	Faigh
chuala mé	rinne mé	fuair mé
chuala tú	rinne tú	fuair tú
chuala sé/sí	rinne sé/sí	fuair sé/sí
chualamar	rinneamar	fuaireamar
chuala sibh	rinne sibh	fuair sibh
chuala siad	rinne siad	fuair siad
níor chuala mé	ní dhearna mé	ní bhfuair mé
ar chuala tú?	an ndearna tú?	an bhfuair tú?
chualathas (saorbhriathar)	rinneadh (saorbhriathar)	fuarthas (saorbhriathar)

Feic	Ith	Tabhair
chonaic mé	d'ith mé	thug mé
chonaic tú	d'ith tú	thug tú
chonaic sé/sí	d'ith sé/sí	thug sé/sí
chonaiceamar	d'itheamar	thugamar
chonaic sibh	d'ith sibh	thug sibh
chonaic siad	d'ith siad	thug siad
ní fhaca mé	níor ith mé	níor thug mé
an bhfaca tú?	ar ith tú?	ar thug tú?
chonacthas (saorbhriathar)	itheadh (saorbhriathar)	tugadh (saorbhriathar)

Tar	Téigh
tháinig mé	chuaigh mé
tháinig tú	chuaigh tú
tháinig sé/sí	chuaigh sé/sí
thángamar	chuamar
tháinig sibh	chuaigh sibh
tháinig siad	chuaigh siad
níor tháinig mé	ní dheachaigh mé
ar tháinig tú?	an ndeachaigh tú?
thángthas (saorbhriathar)	chuathas (saorbhriathar)

Cleachtadh 10.1

Cuir na briathra idir lúibíní san Aimsir Chaite.

1. (Feic) _Chonaic_ sí a cara ar an mbus inné.
2. (Ith) _D'ith_ sé leite dá bhricfeasta ar maidin.
3. (Clois) _Chuala_ siad an nuacht is déanaí ar an raidió.
4. (Bí) (sinn) _Bhíomar_ cantalach tar éis an cluiche a chailliúnt.
5. (Téigh) _Chuaigh_ mé ar scoil ar a leathuair tar éis a hocht ar maidin.
6. (Beir) _Rhug_ Seán ar an liathróid láithreach bonn.
7. (Tabhair) _Thug_ sí na freagraí dá cara.
8. (Déan) _Rinne_ sí an obair bhaile an deireadh seachtaine seo caite.
9. (Tar) _tháinig_ sí abhaile lena cos briste i ndiaidh an ráis.
10. (Abair) _duirt_ Beití go raibh gach duine ón bparóiste ag an ócáid.
11. (Faigh) _fuair_ Proinsias bróga reatha nua an tseachtain seo caite.

Cleachtadh 10.2

Cuir na briathra idir lúibíní san Aimsir Chaite.

1. (Déan) _____Rinne_____ Mam dinnéar deas dúinn.
2. (Ith) _____D'ith_____ mé lón ansin timpeall a naoi ar maidin.
3. (Clois) _____Chuala_____ Seán a fhón ina phóca.
4. (Tabhair) _____Thug_____ sé seans dóibh an obair bhaile a dhéanamh sa rang.
5. (Tar) _____tháinig_____ sé chuig an aerfort chun a chol ceathrar a bhailiú.
6. (Bí) _____Bhí_____ mé ar bís nuair a chonaic mé Messi ar an trá sa Spáinn.
7. (Beir) _____Rhug_____ mé ar an mbuachaill ar an mbóthar sular bhuail an carr é.
8. (Abair) _____dúirt_____ siad go raibh an béile sa bhialann Iodálach go hálainn ar fad.
9. (Faigh: sinn) _____fuaireamar_____ bronntanas ónar gclann ar fad le haghaidh na Nollag.
10. (Téigh) _____chuaigh_____ siad abhaile i ndiaidh na pictiúrlainne.
11. (Feic) _____Chonaic_____ Seán fear an phoist ag teacht isteach geata a thí go luath ar maidin.

Cleachtadh 10.3

Ceap abairtí a mbeadh na briathra seo a leanas oiriúnach mar thús dóibh.

1. Chonaic mé _____.
2. D'itheamar _____an pancóga ar maidín_____.
3. Thángamar _____.
4. Chuala mé _____.
5. Thug Pádraig _____.
6. Fuair mé _____.
7. Dúirt sí _____.
8. Chuamar _____.
9. Bhí _____.
10. Rug _____.
11. Rinne _____.

Tógann na briathra **abair, bí, faigh, feic, téigh** agus **déan** 'an', 'ní', 'nach' agus 'go' san Aimsir Chaite:

Abair: an ndúirt?/ní dúirt/nach ndúirt?/go ndúirt

Bí: an raibh?/ní raibh/nach raibh?/go raibh

Déan: an ndearna?/ní dhearna/nach ndearna?/go ndearna

Faigh: an bhfuair?/ní bhfuair/nach bhfuair?/go bhfuair

Feic: an bhfaca?/ní fhaca/nach bhfaca?/go bhfaca

Téigh: an ndeachaigh?/ní dheachaigh/nach ndeachaigh?/go ndeachaigh

Déan na cleachtaí anois sa chéad leathanach eile.

Cleachtadh 10.4

Cuir na briathra idir lúibíní san Aimsir Chaite.

1. Nach (abair) _____ sé leat do bhróga reatha a thabhairt leat?

2. Níor (ith) _____ ith _____ mé mo dhinnéar aréir.

3. Ar (clois) _____ tú an scéal is déanaí ón gclub camógaíochta?

4. Níor (beir) _____ sí ar an sliotar i rith an chluiche inné.

5. An (feic) _____ tú *Ros na Rún* ar TG4 aréir?

6. Nach (déan) _____ tú obair an tí nuair a cuireadh ceist ort?

7. Ní (téigh) _____ sí abhaile mar bhí sí buartha nach raibh eochair an tí aici.

8. Ní (faigh) _____ siad aon eolas ar an bhfáth a raibh doras an tsiopa faoi ghlas.

9. Nach (abair) _____ sibh go raibh sibh chun fanacht sa teach i rith na hoíche?

10. Níor (tabhair) _____ aon duine cabhair dóibh lena gcuid siopadóireachta.

11. Níor (tar) _____ siad abhaile lena gcairde mar go raibh siad imithe ar strae.

Cleachtadh 10.5

Aistrigh na habairtí seo a leanas.

1. I went home yesterday evening.

   _____

2. She did not eat her breakfast this morning.

   _____

3. Did you not hear the latest story on the news?

   _____

4. They did not give me a chance to get ready.

   _____

5. They came home after a longer journey.

   _____

6. I was so annoyed about the loud students on the train.

   _____

   _____

7. The tallest player caught the ball in the middle of the field.

8. Did she tell you to wait there?

_____

9. We got a lot of homework from our biology teacher.

_____

10. We went to the cinema during the day yesterday.

_____

11. You came home very late after the night out with your friends.

_____

Na Briathra Rialta

An Chéad Réimniú

Briathra aonsiollacha agus ilsiollacha

Briathra a chríochnaíonn ar chonsan leathan							
breac	cas	ceap	díol	dún	fág	fan	féach
geall	gearr	glac	glan	iarr	íoc	las	leag
lean	líon	mol	múch	nasc	nocht	ól	póg
pioc	pós	scar	scríobh	scrios	scuab	seas	stop
tóg							

Briathra a chríochnaíonn ar consan caol							
bain	bris	buail (le)	caith	caill	creid	cuir	éist le
fill	géill	léim	lig	mair	rith	roinn	séid
seinn	siúil	táirg	teip ar	tit	tuig	tuill	úsáid

Briathra a chríochnaíonn le –gh							
buaigh	dóigh	glaoigh	guigh	léigh	nigh	pléigh	suigh

Briathra le dhá shiolla a chríochnaíonn ar –áil, –áin

Briathra le dhá shiolla a chríochnaíonn ar –áil, –áin		
sábháil	taispeáin	tiomáin*

*Is eisceacht é tiomáin mar fanann sé caol i gcónaí; mar shampla, thiomáin**eamar**.

Rialacha le foghlaim

- **Séimhiú** ar an bhfréamh; mar shampla: **bh**ris, **ch**uir, **ch**reid agus **dh**íol

- **D'** roimh ghuta nó roimh bhriathar a thosnaíonn ar **f**; mar shampla: **d'**íoc, **d'**éist, **d'f**hág, **d'f**han

- **Ar** roimh an mbriathar san fhoirm cheisteach; mar shampla: **ar ch**uir tú? **ar f**han tú?

- **Níor** roimh an mbriathar san fhoirm dhiúltach; mar shampla: **níor th**aispeáin agus **níor sh**ábháil

- **–amar** nuair atá sinn i gceist agus nuair a chríochnaíonn an fhréamh ar chonsan leathan; mar shampla: mhúch**amar**, d'ól**amar**, pós**amar** agus scar**amar**

- **–eamar** nuair atá sinn i gceist agus nuair a chríochnaíonn an fhréamh ar chonsan caol; mar shampla: chaith**eamar** agus d'éist**eamar**

Ól	Creid	Seol	Féach
d'ól mé	chreid mé	sheol mé	d'fhéach mé
d'ól tú	chreid tú	sheol tú	d'fhéach tú
d'ól sé/sí	chreid sé/sí	sheol sé/sí	d'fhéach sé/sí
d'ólamar	chreideamar	sheolamar	d'fhéachamar
d'ól sibh	chreid sibh	sheol sibh	d'fhéach sibh
d'ól siad	chreid siad	sheol siad	d'fhéach siad
ar ól?	ar chreid?	ar sheol?	ar fhéach?
níor ól	níor chreid	níor sheol	níor fhéach
óladh	creideadh	seoladh	féachadh

Tiomáin	Nigh	Léigh	Taispeáin
thiomáin mé	nigh mé	léigh mé	thaispeáin mé
thiomáin tú	nigh tú	léigh tú	thaispeáin tú
thiomáin sé/sí	nigh sé/sí	léigh sé/sí	thaispeáin sé/sí
thiomáineamar	níomar	léamar	thaispeánamar
thiomáin sibh	nigh sibh	léigh sibh	thaispeáin sibh
thiomáin siad	nigh siad	léigh siad	thaispeáin siad
ar thiomáin?	ar nigh?	ar léigh?	ar thaispeáin?
níor thiomáin	níor nigh	níor léigh	níor thaispeáin
tiomáineadh	níodh	léigh	taispeánadh

Cleachtadh 10.6

Cuir na briathra idir lúibíní san Aimsir Chaite.

1. (Ól mé) ___D'ól mé___ ✓ _____ cupán tae ar maidin agus bhí sé go hálainn.

2. (Buail mé le) ___buail mé le___ ✓ _____ mo chairde ag an ionad siopadóireachta aréir.

3. (Ní creid) _níor chreid_ an príomhoide na daltaí a bhí i dtrioblóid.

4. (Caill) _Chaill_ sí a fón póca sa pháirc imeartha.

5. (Féach) _D'fheach_ sé ar an gcluiche sacair ar an teilifíseán.

6. (Cas) _cas_ sí ina leaba mar nárbh fhéidir léi dul a chodladh.

7. (Tiomáin) _thiomáin_ mo thuismitheoirí go dtí an trá Dé Sathairn seo caite.

8. (Bog) _Bhog_ mé chuig teach nua an bhliain seo caite.

9. (Leag: muid) _leageamar_ an crann a bhí in aice an tí.

10. (Dreap) _dhreap_ siad an sliabh in aice an óstáin.

Cleachtadh 10.7

Cuir na briathra idir lúibíní san Aimsir Chaite.

1. (Fan: sinn) _D'fhanneamar_ ✓ sa bhaile ag féachaint ar an scannán.

2. (Rith: sinn) _Rhitheamar_ síos an bóthar.

3. (Éist mé le) _déist mé le_ ✓ an gceol ar an raidió.

4. (Léigh) _léigh_ ✓ tú an nuacht ar líne.

5. (Geall) _gheall_ ✓ mo chara dhá chéad euro dom aréir.

6. (Fág: sinn) _O'fhagéamar_✓ an teach in am don scoil ach bhí an trácht go dona.

7. (Blais) _Bhlais_ ✓ sí an bia sa cheaintín.

8. Rugadh agus (tóg) _Thóg tógadh_ i gContae Chorcaí é.

9. (Can) _Chan_ an cór carúil áille le haghaidh chóisir na Nollag.

10. (Líon) _Líon_ mé mo phócaí le seacláid nuair nach raibh éinne sa chistin.

Cleachtadh 10.8

Ceap abairtí a mbeadh na briathra seo a leanas oiriúnach mar thús dóibh.

1. Bhris mé _plaití sa cistin_ .

2. Mhúch _sí a geansaí as_ .

3. Thiomáineamar _____ .

4. Níor íoc sibh _da nainnéar_ .

5. Shábháil sí _an scrudú dá chéile_ .

6. Scríobhamar _____ .

7. D'éist sé le _ceol tíre_ .

8. Ghlan siad _tí mar bhí cuairteoirí ann_ .

9. Sheinn mé _____ .

10. Níor thóg sé _____ .

Cleachtadh 10.9

Cuir na briathra idir lúibíní san Aimsir Chaite.

1. (Cas) _____Chas ✓_____ sí ar a rúitín nuair a bhí sí ag imirt haca.

2. (Díol) _____Díol_____ grúpa daoine na cláir don chluiche taobh amuigh den staid.

3. (Éist) _____D'éist ✓_____ siad leis an gceol sa charr agus iad ar a mbealach chuig an trá.

4. (Bris: sinn) _____Bhriseamar ✓_____ dhá fhuinneog sa scoil trí thimpiste.

5. (Troid) _____throid ✓_____ na buachaillí i rith am sosa sa scoil, bhí sé uafásach.

6. (Póg) _____phóg ✓_____ an mháthair na páistí sular imigh siad a chodladh.

7. (Roinn: sinn) _____roinneamar ✓_____ ár gcuid éadaí lena chéile mar gur clann mhór muid.

8. (Seol) _____Sheol ✓_____ mé téacs chuig mo chara mar gheall ar am an chluiche mhóir.

9. (Scrios) _____Scrios ✓_____ na beithigh an pháirc mar bhí sí ag cur báistí go trom.

10. (Mol) _____mhol ✓_____ an múinteoir dom mo dhícheall a dhéanamh sa rang.

Cleachtadh 10.10

Aistrigh na habairtí seo a leanas.

1. We sang out loud at the concert.

   Chanamar amach os ard ag an gceolchoirm ✓

2. He drank milk and ate toast for his breakfast.

   d'ól sé bainne agus d'ith sé tósta dá bhricfeasta

3. We watched the game between Dublin and Galway last Sunday.

   d'fheachamar ar an gcluiche idir Baile Átha Cliath agus Gaillimh de Domhnaigh seo chaite

4. Did you turn off the light in the room?

   Ar mhúchadh tú na soilse sa seomra ✓

5. We stood up for 'Amhrán na bhFiann'.

   Sheasamar suas le haghaidh "Amhrán na BhFiann"

6. Did you run to school yesterday?

   Ar rith tú ar scoil inné. ✓

7. The little girl tasted the food but she did not like it.

   Bhlais an cailín beag an bia ach níor thaitin sé léi ✓

8. Did you close the door?

   Ar dhún ann tú an doras. ✓

9. We ran as fast as we could to be in time for the start of the show.

   Ritheamar chomh tapa agus a d'fheadfaimis a bheith in am don seo ✓

10. We left the cinema early.

    d'fhágamar an phictiúrlann go luath. ✓

An Dara Réimniú

Briathra ilsiollacha a chríochnaíonn ar (a)igh, (a)il, (a)ir, is, in

Briathra a chríochnaíonn ar consan leathan

ardaigh	athraigh	beartaigh	brostaigh	cabhraigh	ceannaigh	ciúnaigh
cothaigh	críochnaigh	dearbhaigh	diúltaigh	éalaigh	feabhsaigh	fiosraigh
fostaigh	gnóthaigh	gortaigh	mothaigh	neartaigh	ordaigh	roghnaigh
sáraigh	scrúdaigh	samhlaigh	sleamhnaigh	iompaigh	socraigh	taisteal
tarla	teastaigh (ó)	tosaigh	ullmhaigh			

Briathra a chríochnaíonn ar consan caol

aimsigh	ainmnigh	áitigh	bailigh	ceistigh	éirigh	eisigh
foilsigh	ídigh	ísligh	léirigh	misnigh	réitigh	sínigh

Briathra a chríochnaíonn ar -(a)il, -im, -in, -ir agus -is

bagair	ceangail	codail	eitil	foghlaim	freagair	fuascail
imir	inis	iompair	labhair	oscail	tagair	taitin le

Rialacha le foghlaim

- **Séimhiú** ar an bhfréamh; mar shampla, **bh**eartaigh, **ch**othaigh agus **sh**amhlaigh

- **D'** roimh ghuta nó roimh bhriathar a thosnaíonn ar f, mar shampla, **d'**athraigh, **d'**aithin, **d'fh**oilsigh agus **d'fh**reagair

- **Ar** roimh an mbriathar san fhoirm cheisteach; mar shampla: **ar ch**eistigh? **ar sh**áraigh?

- **Níor** roimh an mbriathar san fhoirm dhiúltach; mar shampla: **níor fh**reagair agus **níor th**aisteal

- **–aíomar** nuair atá **sinn** i gceist agus nuair a chríochnaíonn an focal ar chonsan leathan; mar shampla: d'oscl**aíomar**, bheart**aíomar** agus shleamhn**aíomar**

- **–íomar** nuair atá **sinn** i gceist agus nuair a chríochnaíonn an focal ar chonsan caol; mar shampla: d'éir**íomar**, réit**íomar** agus léir**íomar**

Éirigh	Taistil	Freagair	Inis
d'éirigh mé	thaistil mé	d'fhreagair mé	d'inis mé
d'éirigh tú	thaistil tú	d'fhreagair tú	d'inis tú
d'éirigh sé/sí	thaistil sé/sí	d'fhreagair sé/sí	d'inis sé/sí
d'éiríomar	thaistilíomar	d'fhreagraíomar	d'insíomar
d'éirigh sibh	thaistil sibh	d'fhreagair sibh	d'inis sibh
d'éirigh siad	thaistil siad	d'fhreagair siad	d'inis siad
ar éirigh?	ar thaistil?	ar fhreagair?	ar inis?
níor éirigh	níor thaisteal	níor fhreagair	níor inis
éiríodh	taistealaíodh	freagraíodh	insíodh

Cleachtadh 10.11

Cuir na briathra idir lúibíní san Aimsir Chaite.

1. (Cláraigh) _Chláraigh_ siad don téarma nua san ollscoil.
2. (Ceannaigh) _Cheannaigh_ mé leabhar inné.
3. (Oscail) _D'oscail_ siad an doras chun a fháil amach cad a bhí ann.
4. (Imir) _D'imir_ sé chluiche arú inné.
5. (Freagair) _D'Fhreagair_ sí an cheist ar an ngramadach.
6. (Feabhsaigh) _D'Fheabhsaigh_ an aimsir san earrach.
7. (Ardaigh) _Ardaigh_ an brat ar maidin.
8. (Diúltaigh) _Dhiúltaigh_ sí dul chuig an dioscó lena cairde.
9. (Bailigh) _Bhailigh_ siad na corceoga tar éis an chluiche.
10. (Eitil) _D'eitil_ siad go Páras le chéile.

Cleachtadh 10.12

Cuir na briathra idir lúibíní san Aimsir Chaite.

1. Níor (ceannaigh) _níor cheannaigh_ siad an carr mar chonaic siad damáiste ar an taobh.
2. (Ar codail) _Ar chodail_ sibh go sámh aréir?
3. (Beannaigh) _Bheannaigh_ Síle dá cara Áine.
4. (Níor oscail) _Níor d'oscail_ Pádraig an doras.
5. (Ar imir) _Ar d'imir_ tú cluiche peile aréir?
6. (Ullmhaigh) _____ Daid an béile dá chlann.
7. (Ar tosaigh) _Ar thosaigh_ tú an aiste go fóill?
8. (Codail) _Chodail_ an leanbh go sámh i lámha a máthar.
9. (Taisteal) _Thaisteal_ siad chuig an aerfort.
10. Ar (cóirigh) _Ar chóirigh_ tú na leapacha sna seomraí thíos staighre?

Cleachtadh 10.13

Ceap abairtí a mbeadh na briathra seo a leanas oiriúnach mar thús dóibh.

1. D'fhógair an múinteoir _____.
2. D'aithin mé _____.
3. Chodail sí _____.
4. Níor imir _____.
5. Níor bhailigh _____.
6. Níor éirigh _____.
7. Labhair an dalta _____.
8. Bhagair siad _____.
9. Cheangail _____.
10. D'fhreastail siad _____.

Cleachtadh 10.14

Cuir na briathra idir lúibíní san Aimsir Chaite.

1. (Codail) _Chodail_ ✓ mé go sámh aréir.
2. (Athraigh: sinn) _D'athraigh_ ár gcuid éadaí nuair a shroicheamar an teach.
3. (Bailigh) _Bhailigh_ ✓ na daltaí na cóipleabhair don mhúinteoir.
4. (Roghnaigh) _Rhoghnaigh_ ✓ siad an bia Iodálach ón mbiachlár sa bhialann.
5. (Maraigh) _Mharaigh_ an luch an cat.
6. Ar (oscail) _Ar d'oscail_ tú do bhronntanas go fóill?
7. Faoi dheireadh (inis: sinn) _d'inisíomar_ an fhírinne maidir leis an obair bhaile.
8. Níor (codail: sinn) _Chodailomar_ sna leapacha céanna.
9. (Labhair) _Labhair_ na daltaí ar son an rúin sa díospóireacht.
10. (Dúisigh) _Dhúisigh_ siad ródhéanach don eitilt.

Cleachtadh 10.15

Aistrigh na habairtí seo a leanas.

1. Mum prepared the dinner for the family.

_____

2. We flew to Madrid with Ryanair.

_____

3. Did you sleep soundly last night?

_____

4. I spoke with my friends about the housing problem.

_____

5. The team improved after every training session.

6. We did not attend school because of the Coronavirus.

7. He remembered to do his maths homework.

8. Did you finish in time?

9. The student felt happy when school was finished for the summer.

10. They collected for charity at the shopping centre.

Cleachtadh ar cheist na gramadaí don tSraith Shóisearach

Cuir na briathra idir lúibíní san Aimsir Chaite.

(Tagann) (1) turasóirí go hÉirinn. (Bíonn) (2) siad ag tnúth go mór le cúpla seachtain a chaitheamh anseo. (Téann) (3) siad go gach cearn den tír álainn seo. (Itheann) (4) siad bia agus (ólann) (5) siad deochanna na tíre. (Feiceann) (6) siad áiteanna áille cosúil le hAillte an Mhóthair agus áiteanna eile ar Shlí an Atlantaigh Fhiáin.

Cleachtadh 10.16

1. _____
2. _____
3. _____
4. _____
5. _____
6. _____

Cleachtadh ar cheist 6A don Ardteistiméireacht

Aimsigh na briathra san Aimsir Chaite sna hailt ó léamhthuiscintí na hArdteistiméireachta.

TG4 – Fiche Bliain ag Fás

Ba thráthúil go raibh Uachtarán na hÉireann, Micheál D. Ó hUiginn, i láthair ar oíche cheiliúrtha TG4 anuraidh. Bhí baint lárnach aigesean le bunú an stáisiúin sa bhliain 1996 nuair a bhí sé ina Aire Ealaíon, Cultúir agus Gaeltachta. Mar Aire, bhí sé freagrach as cúrsaí craoltóireachta agus d'aontaigh sé go hiomlán le cuspóirí an Fheachtais Náisiúnta Teilifíse. Ina óráid ar Oíche Shamhna anuraidh, labhair an tUachtarán faoi thábhacht TG4 i saol na Gaeilge. Cothaíonn an stáisiún nasc idir na pobail scaipthe a labhraíonn an Ghaeilge anseo in Éirinn agus ar fud an domhain, a dúirt sé. Tugann TG4 deis do gach duine a bhfuil Gaeilge aige a bheith páirteach I gcomhluadar na teanga, bíodh sé ina chainteoir líofa nó ná bíodh. Is den riachtanas é má tá an Ghaeilge le buanú, dar leis an Uachtarán, deis a bheith ag pobal na Gaeilge a n-íomhá féin a fheiceáil, agus a nguth féin a chloisteáil ag trácht ina dteanga dhúchais féin ar gach ábhar atá tábhachtach ina saol.

2017 Léamhthuiscint A

Raidió na Gaeltachta: 40 Bliain ar an Aer

Tháinig Raidió na Gaeltachta ar an aer de bharr éileamh ó Ghluaiseacht Chearta Sibhialta na Gaeltachta. Bhailigh dream beag gníomhairí as an nGaeltacht le chéile ag deireadh na seascaidí agus é mar aidhm acu saol mhuintir na Gaeltachta a fheabhsú. I gConamara a thosaigh an feachtas. Bhí ceantar Chonamara beo bocht ag an am, gan infreastruchtúr ceart ná deiseanna fostaíochta, agus bhí an ceantar á bhánú ag an imirce. Níorbh fhada go raibh daoine ag teacht le chéile sna Gaeltachtaí go léir ag iarraidh cúrsaí a fheabhsú. Lorg Gluaiseacht Chearta Sibhialta na Gaeltachta údarás áitiúil forbartha agus pleanála, plean cuimsitheach oideachais agus raidió áitiúil Gaeilge do phobal na Gaeltachta. Méadaíodh ar an mbrú nuair a cuireadh raidió bradach, Saor-Raidió Chonamara, ar an aer aimsir na Cásca 1970. Sé mhí níos déanaí, d'fhógair an rialtas i mBaile Átha Cliath go mbunófaí raidió áitiúil Gaeilge, a dhéanfadh freastal ar na pobail Ghaeltachta agus ar Ghaeilgeoirí ar fud na tíre.

2013 Léamhthuiscint B

Cleachtadh 10.17

1. _____
2. _____
3. _____
4. _____

An Briathar: An Aimsir Láithreach

Na Briathra Neamhrialta

Abair	Beir	Bí	
		Aimsir Láithreach	Aimsir Ghnáthláithreach
deirim	beirim	táim	bím
deir tú	beireann tú	tá tú	bíonn tú
deir sé/sí	beireann sé/sí	tá sé/sí	bíonn sé/sí
deirimid	beirimid	táimid	bímid
deir sibh	beireann sibh	tá sibh	bíonn sibh
deir siad	beireann siad	tá siad	bíonn siad
ní deir sé	ní bheireann sé	níl sí	ní bhíonn sí
an ndeir sí?	an mbeireann tú?	an bhfuil tú?	an mbíonn siad?
deirtear (saorbhriathar)	beirtear (saorbhriathar)	táthar (saorbhriathar)	bítear (saorbhriathar)

Clois	Déan	Faigh
cloisim	déanaim	faighim
cloiseann tú	déanann tú	faigheann tú
cloiseann sé/sí	déanann sé/sí	faigheann sé/sí
cloisimid	déanaimid	faighimid
cloiseann sibh	déanann sibh	faigheann sibh
cloiseann siad	déanann siad	faigheann siad
ní chloiseann sibh	ní dhéanann sí	ní fhaigheann sí
an gcloiseann sí?	an ndéanann tú?	an bhfaigheann siad?
cloistear (saorbhriathar)	déantar (saorbhriathar)	faightear (saorbhriathar)

Feic	Ith	Tabhair
feicim	ithim	tugaim
feiceann tú	itheann tú	tugann tú
feiceann sé/sí	itheann sé/sí	tugann sé/sí
feicimid	ithimid	tugaimid
feiceann sibh	itheann sibh	tugann siad
feiceann siad	itheann siad	tugann sibh
ní fheiceann siad	ní itheann sé	ní thugann sé
an bhfeiceann tú?	an itheann tú?	an dtugann sí?
feictear (saorbhriathar)	itear (saorbhriathar)	tugtar (saorbhriathar)

Tar	Téigh
tagaim	téim
tagann tú	téann tú
tagann sé/sí	téann sé/sí
tagaimid	téimid
tagann sibh	téann sibh
tagann siad	téann siad
ní thagann sibh	ní théann sí
an dtagann siad?	an dtéann sibh?
tagtar (saorbhriathar)	téitear (saorbhriathar)

Cleachtadh 11.1

Cuir na briathra idir lúibíní san Aimsir Láithreach.

1. (Abair) _____ sé an rud céanna gach lá lena chairde.

2. (Beir) _____ siad ar an liathróid i rith na traenála gach lá.

3. (Bí) _____ aoibh mhaith orthu i gcónaí.

4. (Clois) _____ siad an nuacht sa charr ar a mbealach ar scoil.

5. (Déan) _____ sí a seacht ndícheall sa rang gach lá.

6. (Faigh) _____ sé sceallóga agus burgar gach deireadh seachtaine.

7. (Feic) _____ siad an íomhá chéanna gach lá.

8. (Ith) _____ siad lón ar a haon a chlog gach lá.

9. (Tabhair) _____ an múinteoir sin an iomarca obair bhaile gach lá.

10. (Tar) _____ na beithigh amach as an bpáirc ag an am céanna gach lá.

11. (Téigh) _____ Proinsias chuig a chara chun staidéar a dhéanamh gach lá.

Cleachtadh 11.2

Cuir na briathra idir lúibíní san Aimsir Láithreach.

1. (Abair) _____ sibh go bhfuil sibh ceart go leor gach maidin.

2. (Beir: mé) _____ ar gheata na scoile agus osclaím é gach maidin.

3. (Bí: sinn) _____ ag éisteacht le ceol ar ár bhfón póca gach maidin.

4. (Clois) _____ siad an madra ag tafann gach maidin.

5. (Déan: mé) _____ m'obair bhaile gach tráthnóna.

6. An (faigh) _____ d'athair an nuacht ar líne gach lá?

7. Ní (feic) _____ sé a chairde ar an Máirt.

8. (Ith: mé) _____ go leor glasraí i rith na seachtaine.

9. (Tabhair) _____ mo mham airgead póca dom gach lá.

10. (Tar) _____ na páistí abhaile agus bíonn siad tuirseach traochta.

11. (Téigh: sinn) _____ chuig an ngiomnáisium gach dara lá.

Cleachtadh 11.3

Ceap abairtí a mbeidh na briathra seo a leanas oiriúnach mar thús dóibh:

1. Feicimid _____

2. Téann siad _____

3. Bíonn siad _____

4. Deir sé _____

5. Beirimid _____

6. An dtagann sé _____ ?

7. Faigheann siad _____

8. An gcloiseann siad _____ ?

9. Déanann siad _____

10. Itheann sí _____

11. Tugann sibh _____

Cleachtadh 11.4

Cuir na briathra idir lúibíní san Aimsir Láithreach.

1. Nach (deir) _____ sé leat do bhróga reatha a thógaint leat gach dara lá?

2. Ní (ith) _____ sé dinnéar gach tráthnóna.

3. An (clois) _____ tú an scéal is déanaí ón gclub camógaíochta gach seachtain?

4. Ní (beir) _____ sí ar an sliotar i rith an chluiche gach Satharn.

5. An (feic) _____ tú do chairde gach deireadh seachtaine?

6. Nach (déan) _____ tú obair an tí nuair a chuirtear ceist ort é a dhéanamh?

7. (Téigh) _____ sé abhaile ar an mbus gach tráthnóna.

8. Ní (faigh) _____ siad aon eolas ar an bhfáth a mbíonn doras an tsiopa faoi ghlas.

9. (Abair) _____ sibh go bhfuil sibh chun fanacht sa teach seo gach oíche?

10. Ní (tabhair) _____ aon duine cabhair dóibh lena gcuid siopadóireachta.

11. Ní (tar) _____ siad abhaile lena gcairde mar go mbíonn siad imithe ar strae gach lá.

Cleachtadh 11.5

Aistrigh na habairtí seo a leanas.

1. I go to the park with my family at the weekend.

_____

2. We eat porridge for breakfast every morning.

_____

3. I hear the train going past my house very early each morning.

_____

4. Their parents give them nice lunches every day.

_____

5. She comes home from college every weekend.

_____

6. The teacher tells them to do their best in the class every day.

_____

7. He catches the ball at training every evening.

_____

8. She sees everything that I do.

_____

9. Do you make dinner every evening?

_____

10. Do you see your friends every day?

_____

11. Do we get free WiFi at the restaurant?

_____

Na Briathra Rialta

An Chéad Réimniú

Rialacha le foghlaim

- **Ní** + **séimhiú** san fhoirm dhiúltach; mar shampla: ní **gh**lanann sé agus ní **bh**riseann sé

- **An** + **urú** san fhoirm cheisteach; mar shampla: an **dt**ógann tú?, an **bhf**reastalaíonn sí? (ní chuirtear urú ar bhriathra a thosnaíonn le guta; mar shampla: ní íocann tú)

- **-imid** nuair atá **sinn** i gceist agus nuair a chríochnaíonn an briathar ar chonsan caol; mar shampla: té**imid**, buail**imid** agus rith**imid**

- **-aimid** nuair atá **sinn** i gceist agus nuair a chríochnaíonn an briathar ar chonsan leathan; mar shampla: díol**aimid**, scar**aimid** agus tóg**aimid**

Bris	Léigh	Seinn	Íoc
brisim	léim	seinnim	íocaim
briseann sé/sí	léann tú	seinneann tú	íocann tú
briseann tú	léann sé/sí	seinneann sé/sí	íocann sé/sí
brisimid	léimid	seinnimid	íocaimid
briseann sibh	léann sibh	seinneann sibh	íocann sibh
briseann siad	léann siad	seinneann siad	íocann siad
an mbriseann sé?	an léann sí?	an seinneann tú?	an íocann sibh?
ní bhriseann sé	ní léann sí	ní sheinneann tú	ní íocann sibh
bristear	léitear	seinntear	íoctar

Cleachtadh 11.6

Cuir na briathra idir lúibíní san Aimsir Láithreach.

1. (Féach: mé) _____ ar an teilifís gach lá.
2. (Seinn) _____ mo chara an pianó ag a teach gach tráthnóna.
3. (Buail: mé) _____ le mo chairde gach lá.
4. An (seinn) _____ tú uirlis cheoil?
5. An (fás) _____ bláthanna sa ghairdín sin?
6. (Las) _____ siad tine sa teach gach lá.
7. (Cuir) _____ siad bainne ina dtae gach lá.
8. Ní (stop) _____ an trácht riamh.
9. Ní (seas) _____ siad ansin de ghnáth.
10. (Suigh) _____ sí sa chlós lena cara.

Cleachtadh 11.7

Cuir na briathra idir lúibíní san Aimsir Láithreach.

1. An (glan) _____ sí a seomra gach maidin?
2. An (tuig) _____ sibh cad atá ar siúl gach lá?
3. (Díol) _____ siad deochanna sa siopa áitiúil go laethúil.

4. An (tiomáin) _____ siad abhaile ón scoil gach tráthnóna?

5. Nach (ól) _____ tú cupán tae gach lá?

6. (Creid) _____ siad sa reiligiún sin.

7. (Glan: sinn) _____ an seomra sin gach tráthnóna.

8. (Seas) _____ sí ansin ina haonar.

9. (Léigh) _____ sé os comhair an ríomhaire.

10. (Scríobh) _____ sí a tráchtas go laethúil.

Cleachtadh 11.8

Ceap abairtí a mbeidh na briathra seo a leanas oiriúnach mar thús dóibh:

1. Ní fhéachann sé ar _____

2. Ólaimid _____

3. Múineann sí _____

4. Scuabann siad _____

5. Ní bhriseann sé _____

6. Cumann an file _____

7. Fanann mo dheartháir _____

8. Filleann siad _____

9. Ní chuireann sí _____

10. Siúlaim ar scoil _____

Cleachtadh 11.9

Cuir na briathra idir lúibíní san Aimsir Láithreach.

1. (Ól: mé) _____ tae le haghaidh mo bhricfeasta gach maidin.

2. (Léigh) _____ mo mham an nuachtán gach tráthnóna.

3. (Bris) _____ sí na rialacha gach lá agus caitheann sí tobac sna leithris.

4. An (tóg) _____ sibh bhur mbróga libh chuig an gcleachtadh?

5. (Caill: mé) _____ mo sparán gach uile lá.

6. (Glan: sinn) _____ an teach gach deireadh seachtaine.

7. (Glaoigh) _____ sí ar a cara le haghaidh comhrá gach lá.

8. An (féach) _____ tú ar an nuacht gach tráthnóna?

9. (Can: sinn) _____ carúil Nollag um Nollaig.

10. (Buail: sinn) _____ lenár gcairde ag an scoil gach lá.

Cleachtadh 11.10

Aistrigh na habairtí seo a leanas.

1. We listen to music on our smart phones.

_____

2. Do you pick up your clothes after you?

_____

3. He leaves his history book behind him every day.

4. We discuss football every day.

5. I do not walk to school as it rains regularly in Galway.

6. My dad listens to the news every morning.

7. We sit in the same seats in geography class.

8. We win a lot of competitions.

9. I read a book in bed every night.

10. Do you save much money?

An Dara Réimniú

Rialacha le foghlaim

- **Ní** + **séimhiú** san fhoirm dhiúltach; mar shampla: ní **mh**othaíonn sé, ní **ch**ríochnaíonn sé (ní chuirtear **h** roimh bhriathra a thosnaíonn le guta; mar shampla: ní osclaíonn sí)

- **An** + **urú** san fhoirm cheisteach; mar shampla: an **gc**eannaíonn tú?, an **bhf**reastalaíonn sí? (ní chuirtear urú ar bhriathra a thosnaíonn le guta)

- **–ímid** nuair atá **sinn** i gceist agus nuair a chríochnaíonn an briathar ar chonsan caol; mar shampla: imr**ímid**, dúis**ímid** agus im**ímid**

- **-aímid** nuair atá **sinn** i gceist agus nuair a chríochnaíonn an briathar ar chonsan leathan; mar shampla: neart**aímid**, ceann**aímid** agus oscl**aímid**

Críochnaigh	Imir	Oscail	Foghlaim
críochnaím	imrím	osclaím	foghlaimím
críochnaíonn tú	imríonn tú	osclaíonn tú	foghlaimíonn tú
críochnaíonn sé/sí	imríonn sé/sí	osclaíonn sé/sí	foghlaimíonn sé/sí
críochnaímid	imrímid	osclaímid	foghlaimímid
críochnaíonn sibh	imríonn sibh	osclaíonn sibh	foghlaimíonn sibh
críochnaíonn siad	imríonn siad	osclaíonn siad	foghlaimíonn siad
an gcríochnaíonn tú?	an imríonn tú?	an osclaíonn sibh?	an bhfoghlaimíonn sé?
ní chríochnaíonn sé	ní imríonn sí	ní osclaíonn siad	ní fhoghlaimíonn sí
críochnaítear	imrítear	osclaítear	foghlaimítear

Cleachtadh 11.11

Cuir na briathra idir lúibíní san Aimsir Láithreach.

1. (Freagair) _____ siad na ceisteanna nuair atá na freagraí ar eolas ag an rang.

2. (Eitil) _____ siad ar fud na hEorpa.

3. (Imigh) _____ siad abhaile gach deireadh seachtaine.

4. (Cothaigh) _____ an bhó an lao.

5. An (ordaigh) _____ sé deoch ag an mbéar?

6. (Réitigh) _____ sé an fhadhb nuair a fheiceann sé í.

7. An (inis) _____ sé a scéalta dóibh?

8. De ghnáth (roghnaigh) _____ sé úll agus oráiste dá lón.

9. (Léirigh) _____ an fógra ar an mballa an t-am.

10. (Maraigh) _____ daoine a chéile gach lá timpeall an domhain.

Cleachtadh 11.12

Cuir na briathra idir lúibíní san Aimsir Láithreach.

1. (Taistil) _____ sé timpeall an domhain mar chuid dá ghnó.

2. (Taitin) _____ an ceol ar an raidió go mór liom.

3. (Críochnaigh: sinn) _____ ár gcuid obair bhaile gach oíche.

4. Ní (oscail) _____ sé an geata sin rómhinic.

5. An (sleamhnaigh) _____ sí ar an sliabh?

6. (Aimsigh) _____ sí cúilín sa chluiche dúinn gach aon chluiche.

7. (Sáraigh) _____ an bhean an fliú gach geimhreadh.

8. (Scrúdaigh) _____ an múinteoir na páistí gach lá.

9. (Tosaigh) _____ na ranganna ar a naoi a chlog.

10. (Éirigh) _____ siad ar a seacht a chlog ar maidin.

Cleachtadh 11.13

Ceap abairtí a mbeidh na briathra seo a leanas oiriúnach mar thús dóibh.

1. Breathnaíonn Síle ar _____

2. Ordaímid _____

3. Tosaíonn sé _____

4. Ní mhothaíonn siad _____

5. An gceannaíonn sibh _____ ?

6. Fiafraíonn sí _____

7. An gcuardaíonn tú _____ ?

8. Diúltaíonn siad _____

9. Imím _____

10. Bailíonn _____

Cleachtadh 11.14

Cuir na briathra idir lúibíní san Aimsir Láithreach.

1. An (éirígh) _____ sibh go luath ar maidin?

2. An (aistrigh) _____ sé an cháipéis sin go Gaeilge go laethúil?

3. Ní (cuardaigh: mé) _____ mo phócaí nuair a chaillim m'fhón póca.

4. (Admhaigh: mé) _____ go n-insím an fhírinne i gcónaí di.

5. (Tosaigh: sinn) _____ ag obair gach maidin ar a naoi a chlog.

6. (Oibrigh) _____ sí go dian ina cuid oibre.

7. Ní (bailigh) _____ sé na cóipleabhair agus táim an-sásta.

8. An (oscail) _____ sé na geataí sa pháirc nó cé a dhéanann sin?

9. (Inis) _____ an scríbhneoir cáiliúil, Gabriel Rosenstock, scéalta breátha.

10. (Freastail) _____ siad ar an rang chéanna liom.

Cleachtadh 11.15

Aistrigh na habairtí seo a leanas.

1. I admit that I always tell the truth.

_____

2. Does Seán attend the classes?

_____

3. She sleeps in the same bed every night.

_____

4. They do not work hard every day.

_____

5. Do the children play every evening?

_____

6. I get up early every morning.

_____

7. We depart before noon.

_____

8. We collect money every Saturday.

_____

9. We sleep soundly every night.

_____

10. Does he learn Irish on Saturdays?

Cleachtadh ar cheist na gramadaí don tSraith Shóisearach

Cuir na briathra idir lúibíní san Aimsir Láithreach.

(Tiocfaidh) (1) turasóirí go hÉirinn. (Beidh) (2) siad ag tnúth go mór le cúpla seachtain a chaitheamh anseo. (Rachaidh) (3) siad go gach cearn den tír álainn seo. (Íosfaidh) (4) siad bia agus (ólfaidh) (5) siad deochanna na tíre. (Feicfidh) (6) siad áiteanna áille cosúil le hAillte an Mhóthair agus áiteanna eile ar Shlí an Atlantaigh Fhiáin.

Cleachtadh 11.16

1. _____ 4. _____

2. _____ 5. _____

3. _____ 6. _____

Cleachtadh ar cheist 6A don Ardteistiméireacht

Aimsigh na briathra san Aimsir Láithreach sna hailt ó léamhthuiscintí na hArdteistiméireachta.

An Cogadh sa tSiria agus Géarchéim na nDídeanaithe

Tá an cogadh cathartha sa tSiria ar cheann de phríomhscéalta nuachta an domhain le blianta beaga anuas. Tá na milliúin Siriach marbh de dheasca an chogaidh chathartha, tá beatha na gcéadta míle eile i mbaol laistigh den tír agus tá níos mó ná cúig mhilliún duine tar éis teitheadh. I mí Mheán Fómhair 2015, scaipeadh pictiúr ar na meáin idirnáisiúnta a tharraing aird an domhain ar uafás an chogaidh chathartha seo. Íomhá a bhí ann de chorp Aylan Kurdi, buachaill óg Siriach trí bliana d'aois, ina luí marbh ar an trá sa Tuirc. D'fhág Aylan agus a mhuintir an tSiria agus iad ag éalú ón gcogaíocht agus ag súil le saol síochánta sa Ghearmáin. Bhí sé féin, a thuismitheoirí agus a dhearthhair i mbád beag in éineacht le Siriaigh eile nuair a iompaíodh an bád bunoscionn ar na farraigí fiáine. Bádh Aylan, a dheartháir agus a mháthair. Tá géarchéim na ndídeanaithe Siriacha ar cheann de na tubaistí daonna is measa ó aimsir an Dara Cogadh Domhanda anall.

2017 Léamhthuiscint B

An Cogadh sa tSiria agus Géarchéim na nDídeanaithe

Ní bhíonn an dara rogha ag cuid mhór Siriach ach an tír a fhágáil de dheasca na cogaíochta. Tugann siad a n-aghaidh ar an Meánmhuir ag iarraidh a mbealach a dhéanamh chun na hEorpa. Is iomaí constaic a bhíonn le sárú acu. Ní furasta bád oiriúnach a fháil chun iad a thabhairt trasna na farraige. Cé go n-íocann siad suimeanna móra airgid le smuigléirí a gheallann bád sábháilte dóibh, is minic a bhuailtear bob orthu. Uaireanta eile, ní bhíonn an bád acmhainneach ar muir agus téann sé go tóin poill dá bharr. Na dídeanaithe sin a n-éiríonn leo an turas farraige a dhéanamh slán sábháilte, bíonn go leor fadhbanna acu ag na hionaid seiceála ar na teorainneacha idir na tíortha éagsúla. Bíonn an baol ann i gcónaí go ndúnfar na hionaid seiceála ar na teorainneacha nó nach nglacfar lena gcuid páipéarachais agus nach ligfear dóibh dul ar aghaidh. Nuair a bhíonn na húdaráis sásta glacadh lena gcáipéisí agus iad a ligean isteach sa tír, seoltar ar aghaidh chuig campaí dídeanaithe iad. Bíonn na cúinsí maireachtála go hainnis sna campaí sin. Bíonn plód uafásach daoine iontu, bíonn easpa mhór bia ann agus ní bhíonn cúrsaí sláintíochta mar is cuí.

2017 Léamhthuiscint B

Cleachtadh 11.17

1. _____ 4. _____

2. _____ 5. _____

3. _____ 6. _____

12 An Briathar: An Aimsir Fháistineach

Na Briathra Neamhrialta

Abair	Beir	Bí
déarfaidh mé	béarfaidh mé	beidh mé
déarfaidh tú	béarfaidh tú	beidh tú
déarfaidh sé/sí	béarfaidh sé/sí	beidh sé/sí
déarfaimid	béarfaimid	beimid
déarfaidh sibh	béarfaidh	beidh sibh
déarfaidh siad	béarfaidh	beidh siad
ní déarfaidh sé	ní bhéarfaidh tú	ní bheidh mé
an ndéarfaidh sí?	an mbéarfaidh sibh?	an mbeidh tú?
déarfar (saorbhriathar)	béarfar (saorbhriathar)	beifear (saorbhriathar)

Clois	Déan	Faigh
cloisfidh mé	déanfaidh mé	gheobhaidh mé
cloisfidh tú	déanfaidh tú	gheobhaidh tú
cloisfidh sé/sí	déanfaidh sé/sí	gheobhaidh sé/sí
cloisfimid	déanfaimid	gheobhaimid
cloisfidh sibh	déanfaidh sibh	gheobhaidh sibh
cloisfidh siad	déanfaidh siad	gheobhaidh siad
ní chloisfidh tú	ní dhéanfaidh sí	ní bhfaighidh sibh
an gcloisfidh mé?	an ndéanfaidh sibh?	an bhfaighidh tú?
cloisfear (saorbhriathar)	déanfar (saorbhriathar)	gheofar (saorbhriathar)

Feic	Ith	Tabhair
feicfidh mé	íosfaidh mé	tabharfaidh mé
feicfidh tú	íosfaidh tú	tabharfaidh tú
feicfidh sé/sí	íosfaidh sé/sí	tabharfaidh sé/sí
feicfimid	íosfaimid	tabharfaimid
feicfidh sibh	íosfaidh sibh	tabharfaidh sibh
feicfidh siad	íosfaidh siad	tabharfaidh siad
ní fheicfidh mé	ní íosfaidh sibh	ní thabharfaimid
an bhfeicfidh tú?	an íosfaidh siad?	an dtabharfaidh sibh?
feicfear (saorbhriathar)	íosfar (saorbhriathar)	tabharfar (saorbhriathar)

Tar	Téigh
tiocfaidh mé	rachaidh mé
tiocfaidh tú	rachaidh tú
tiocfaidh sé/sí	rachaidh sé/sí
tiocfaimid	rachaimid
tiocfaidh sibh	rachaidh sibh
tiocfaidh siad	rachaidh siad
ní thiocfaidh tú	ní rachaidh mé
an dtiocfaidh sé?	an rachaidh siad?
tiocfar (saorbhriathar)	rachfar (saorbhriathar)

Cleachtadh 12.1

Cuir na briathra idir lúibíní san Aimsir Fháistineach.

1. (Abair) _____ Siobhán lena tuismitheoirí go mbeidh sí ag imeacht go luath.

2. (Beir) _____ Sorcha ar an liathróid i rith an chluiche ag an deireadh seachtaine.

3. (Bí) _____ mé ag obair go dian amárach.

4. (Clois) _____ siad an clog ag bualadh ar maidin.

5. (Déan) _____ mé staidéar ar na hábhair go léir.

6. (Faigh) _____ Daithí mórán airgid óna athair.

7. (Feic) _____ mé m'aintín sa teach amárach.

8. (Ith) _____ siad seacláid ag an gcóisir ag an deireadh seachtaine.

9. (Tabhair) _____ mé bronntanas do mo chailín amárach.

10. (Tar) _____ an long i dtír ag an gcladach.

11. (Téigh) _____ Síle go dtí an Spáinn i rith an tsamhraidh.

Cleachtadh 12.2

Cuir na briathra idir lúibíní san Aimsir Fháistineach.

1. (Abair) _____ an múinteoir linn nach mbeidh aon obair bhaile againn.

2. (Beir) _____ na Gardaí ar an ngadaí nuair a chloisfidh siad faoin robáil.

3. (Bí) _____ an fhoireann sin faoi bhrú agus tá seans ann nach mbuafaidh siad.

4. (Clois) _____ mé an nuacht ar maidin agus gheobhaidh mé an scéal is déanaí.

5. (Déan: sinn) _____ ár ndícheall sa ghairdín.

6. (Faigh) _____ mé cúig euro ar iasacht ó mo mham don lón amárach.

7. Ní (feic) _____ siad a gcairde i rith an tsamhraidh.

8. (Ith: sinn) _____ ár lón taobh amuigh mar tá an ghrian ag taitneamh.

9. Ní (tabhair) _____ mé aon rud ar iasacht do mo dheirfiúr riamh arís.

10. (Tar) _____ mé abhaile ón scoil ar mo rothar.

11. (Téigh: sinn) _____ chuig an gcaifé ar maidin le haghaidh caife.

Cleachtadh 12.3

Ceap abairtí a mbeidh na briathra seo a leanas oiriúnach mar thús dóibh.

1. Rachaidh mé _____

2. Déanfaimid _____

3. Beimid _____

4. Ní bhfaighidh tú _____

5. Íosfaidh siad _____

6. Tabharfaimid _____

7. Béarfaidh sé _____

8. An dtiocfaidh sibh _____ ?

9. Ní fheicimid _____

10. Cloisfidh sí _____

11. Déarfaidh siad _____

Cleachtadh 12.4

Cuir na briathra idir lúibíní san Aimsir Fháistineach.

1. Ní (deir) _____ sí leat do chuid airgid a thabhairt leat.

2. Ní (ith) _____ mé ón mbialann sin mar tá an bia lofa.

3. An (clois) _____ sibh cad a bheidh ar siúl ag an gclub camógaíochta?

4. Ní (beir) _____ sé ar an liathróid sin.

5. An (feic) _____ tú an clár ar TG4 amárach?

6. Ní (déan: sinn) _____ aon obair bhaile anocht, tá an cluiche ar siúl.

7. Ní (téigh) _____ sí go dtí an pháirc ina haonar.

8. Ní (faigh) _____ sé dearbhán dá bhreithlá.

9. Ní (abair) _____ sibh go bhfuil sibh chun fanacht san óstán don tseachtain.

10. Ní (tabhair) _____ éinne bronntanas leo.

11. Ní (tar) _____ sé isteach go luath anocht, tá sé amuigh lena chuid cairde.

Cleachtadh 12.5

Aistrigh na habairtí seo a leanas.

1. Will you catch that ball during the match?

   _____

2. I will be working hard at school tomorrow.

   _____

3. We will hear the Christmas carols from the town centre.

   _____

4. Will you do the work during school hours?

   _____

5. She will get the watch that she wants for her birthday.

   _____

6. I will say nothing.

   _____

7. We will see them later in the nightclub.

   _____

8. I will eat anything for my dinner later – I am starving.

   _____

9. I will give her a present for Christmas.

_____

10. Who will come with them tonight?

_____

11. Will we go to the shopping centre on Sunday?

_____

An Chéad Réimniú

Rialacha le foghlaim

- **Ní** + **séimhiú** san fhoirm dhiúltach; mar shampla: ní **bh**risfidh sí, ní **ch**aithfidh mé (ní chuirtear **h** ar bhriathra a thosnaíonn le guta; mar shampla: ní éistfidh mé)

- **An** + **urú** san fhoirm cheisteach; mar shampla: an **gc**reidfidh tú? an **bhf**éachfaidh sí? (ní chuirtear urú ar bhriathra a thosnaíonn le guta)

- **–fimid** nuair atá **sinn** i gceist agus nuair a chríochnaíonn an focal ar chonsan caol; mar shampla: rith**fimid**, bris**fimid** agus éist**fimid**

- **–faimid** nuair atá **sinn** i gceist agus nuair a chríochnaíonn an focal ar chonsan leathan; mar shampla: ól**faimid**, scar**faimid** agus triall**faimid**

Tóg	Siúil	Can	Stop
tógfaidh mé	siúlfaidh mé	canfaidh mé	stopfaidh mé
tógfaidh tú	siúlfaidh tú	canfaidh tú	stopfaidh tú
tógfaidh sé/sí	siúlfaidh sé/sí	canfaidh sé/sí	stopfaidh sé/sí
tógfaimid	siúlfaimid	canfaimid	stopfaimid
tógfaidh sibh	siúlfaidh sibh	canfaidh sibh	stopfaidh sibh
tógfaidh siad	siúlfaidh siad	canfaidh siad	stopfaidh siad
an dtógfaidh?	an siúlfaidh?	an gcanfaidh?	an stopfaidh?
ní thógfaidh	ní shiúlfaidh	ní chanfaidh	ní stopfaidh mé
tógfar	siúlfar	canfar	stopfar

Cleachtadh 12.6

Cuir na briathra idir lúibíní san Aimsir Fháistineach.

1. (Ól) _____ sé gloine uisce.

2. (Siúil: sinn) _____ abhaile má bhíonn an lá go deas.

3. (Taispeáin) _____ siad an scannán sin sa phictiúrlann anocht.

4. (Nigh) _____ mé mo chuid éadaí nuair a fhaighim an deis.

5. (Teip) _____ orthu sa scrúdú sin.

6. (Rith) _____ sí suas an sliabh.

7. (Lig) _____ mé mo scíth.

8. (Seinn) _____ sí port dúinn níos déanaí.

9. (Seol) _____ mé téacs chucu ag am lóin.

10. (Fan) _____ siad ansin.

Cleachtadh 12.7

Cuir na briathra idir lúibíní san Aimsir Fháistineach.

1. (Cas) _____ siad timpeall nuair atá siad críochnaithe.

2. (Mair) _____ siad fiche bliain eile ar a laghad.

3. Ní (tuig) _____ sé an cheist sin.

4. (Éist) _____ siad leis an raidió níos déanaí.

5. An (féach) _____ sí ar an sobalchlár anocht?

6. (Las) _____ siad soilse na sráideanna ar a naoi a chlog.

7. (Póg) _____ siad an chloch sin má fhaigheann siad an deis.

8. (Geall) _____ mé di go ndéanfaidh mé mo dhícheall.

9. (Cuir) _____ sé uisce sa chiteal.

10. An (glan) _____ tú mo charr dom, le do thoil?

Cleachtadh 12.8

Ceap abairtí a mbeidh na briathra seo a leanas oiriúnach mar thús dóibh.

1. Glaofaidh mé ar _____

2. Léifimid _____

3. Cuirfidh sibh _____

4. Éistfidh siad _____

5. Ní fhillfidh sí _____

6. Canfaidh tú _____

7. Glanfaidh sé _____

8. Fágfaidh siad _____

9. Ní dhúnfaidh sé _____

10. Siúlfaimid _____

Cleachtadh 12.9

Cuir na briathra idir lúibíní san Aimsir Fháistineach.

1. (Fan: sinn) _____ sa bhaile don deireadh seachtaine.

2. An (tóg) _____ Seán airgead as an mbanc le haghaidh na cóisire.

3. (Íoc) _____ siad an cíos ar an Aoine.

4. (Féach) _____ mé ar Netflix anocht.

5. (Scríobh) _____ sí filíocht nuair a bheidh am aici sa samhradh.

6. (Tóg) _____ an tógálaí an teach sin an bhliain seo chugainn.

7. (Can) _____ sí amhrán ag an gcóisir.

8. Ní (lean) _____ mé an fhoireann sin a thuilleadh.

9. (Seinn: sinn) _____ ár n-uirlisí ceoil i rith an ranga.

10. (Tit: sinn) _____ inár gcodladh tar éis lá fada ag cnuchairt móna.

Cleachtadh 12.10

Aistrigh na habairtí seo a leanas.

1. She will run home from school this evening.

   _____

2. I will meet Louise tomorrow afternoon.

   _____

3. We will reach the school at a quarter to four.

   _____

4. I will drive to Leitrim at the weekend.

   _____

5. I will jump over the gate.

   _____

6. I will not understand the question.

   _____

7. He will listen to the latest sports news online.

   _____

8. Will you sit in the same seat tomorrow?

   _____

9. We will watch this match.

   _____

10. I will show my homework to my father.

   _____

An Dara Réimniú

Rialacha le foghlaim

- **Ní** + **séimhiú** san fhoirm dhiúltach; mar shampla: ní **fh**iosróidh sí agus ní **ch**odlóidh sé

- **An** + **urú** san fhoirm cheisteach; mar shampla: an **bhf**oghlaimeoidh sí? an **gc**ríochnóidh sí? (ní chuirtear urú ar bhriathra a thosnaíonn le guta; mar shampla: ní ordóidh tú)

- **–eoimid** nuair atá **sinn** i gceist agus nuair a chríochnaíonn an focal ar chonsan caol; mar shampla: ins**eoimid**, imr**eoimid** agus ceist**eoimid**

- **–óimid** nuair atá **sinn** i gceist agus nuair a chríochnaíonn an focal ar chonsan leathan; mar shampla: ard**óimid**, freagr**óimid** agus scrúd**óimid**

Ceannaigh	Labhair	Ordaigh	Taisteal
ceannóidh mé	labhróidh mé	ordóidh mé	taistealóidh mé
ceannóidh tú	labhróidh tú	ordóidh tú	taistealóidh tú
ceannóidh sé/sí	labhróidh sé/sí	ordóidh sé/sí	taistealóidh sé/sí
ceannóimid	labhróimid	ordóimid	taistealóimid
ceannóidh sibh	labhróidh sibh	ordóidh sibh	taistealóidh sibh
ceannóidh siad	labhróidh siad	ordóidh siad	taistealóidh siad
an gceannóidh tú?	an labhróidh sí?	an ordóidh sibh?	an dtaistealóidh sé?
ní cheannóidh tú	ní labhróidh sí	ní ordóidh sibh	ní thaistealóidh sé
ceannófar	labhrófar	ordófar	taistealófar

Cleachtadh 12.11

Cuir na briathra idir lúibíní san Aimsir Fháistineach.

1. (Fiosraigh) _____ na Gardaí an scéal maidir le robáil an tí.

2. Ní (imir) _____ siad an cluiche.

3. (Freastail) _____ mé ar scoil amárach.

4. (Tuirling) _____ an t-eitleán go déanach amárach.

5. (Smaoinigh) _____ siad ar an obair.

6. (Tosaigh) _____ an rang ar a seacht a chlog.

7. An (críochnaigh) _____ tú do chuid obair bhaile an tráthnóna seo?

8. (Dúisigh) _____ mé go luath maidin amárach.

9. An (codail) _____ tú go sámh anocht?

10. (Ordaigh) _____ sí an t-iasc ón mbiachlár.

Cleachtadh 12.12

Cuir na briathra idir lúibíní san Aimsir Fháistineach.

1. (Inis) _____ an seanchaí, Eddie Lenihan, scéal spraíúil do na páistí.
2. An (ceannaigh) _____ sí bróga nua sa siopa sin?
3. Ní (éirigh: sinn) _____ go luath maidin amárach.
4. An (imir) _____ tú sa chluiche amárach?
5. (Coinnigh) _____ mé greim ar an liathróid sin.
6. (Ceannaigh) _____ mé sparán nua amárach.
7. (Oibrigh) _____ siad go dian ar an bhfeirm ag an deireadh seachtaine.
8. (Bailigh: sinn) _____ feamainn ón trá um thráthnóna.
9. An (aistrigh) _____ sé an t-airgead go dtí an banc Dé hAoine?
10. (Codail) _____ mé go sámh anocht.

Cleachtadh 12.13

Cuir na briathra idir lúibíní san Aimsir Fháistineach.

1. An (labhair) _____ tú le do chara ag an deireadh seachtaine?
2. (Cóirigh) _____ sé a mhála don turas.
3. (Éirigh) _____ na cailíní go luath ar maidin.
4. (Ceangail) _____ sé a bhróga go luath.
5. (Inis) _____ sí scéal don leanbh.
6. (Eitil) _____ sé chuig Parás maidin amárach.
7. (Gortaigh) _____ sé a chos má leannan sé ar aghaidh.
8. Ní (feabhsaigh) _____ an aimsir i mo thuairim.
9. (Réitigh) _____ sé na fadhbanna atá ag an gcarr sin.
10. An (mothaigh) _____ sí go maith amárach?

Cleachtadh 12.14

Ceap abairtí a mbeadh na briathra seo a leanas oiriúnach mar thús dóibh:

1. Ceannóimid _____.
2. Labhróidh mé _____.
3. Tosóidh sí _____.
4. An mbaileoidh tú _____?
5. Inseoidh _____.
6. Ní roghnóidh mé _____.
7. Gortóidh _____.
8. Réiteoidh _____.
9. Ordóimid _____.
10. Imreoidh _____.

Cleachtadh 12.15

Aistrigh na habairtí seo a leanas.

1. The flight will depart at one o'clock in the afternoon.

   _____

2. We will work hard in the fields today.

   _____

3. I will not open the door in the morning.

   _____

4. Will you collect the money for the raffle?

   _____

5. Seán will attend the classes next week.

   _____

6. She will not get up until later in the day.

   _____

7. The Gardaí will search the house today.

   _____

8. The games will begin at twelve o'clock.

   _____

9. Will you buy the newspaper tomorrow morning?

   _____

10. She will change her mind about going to the cinema.

   _____

Cleachtadh ar cheist na gramadaí don tSraith Shóisearach

Cuir na briathra idir lúibíní san Aimsir Fháistineach.

(Tháinig) (1) turasóirí go hÉirinn. (Bhí) (2) siad ag tnúth go mór le cúpla seachtain a chaitheamh anseo. (Chuaigh) (3) siad go gach cearn den tír álainn seo. (D'ith) (4) siad bia agus (d'ól) (5) siad deochanna na tíre. (Chonaic) (6) siad áiteanna áille cosúil le hAillte an Mhóthair agus áiteanna eile ar Shlí an Atlantaigh Fhiáin.

Cleachtadh 12.16

1. _____
2. _____
3. _____

4. _____
5. _____
6. _____

Cleachtadh ar cheist 6A don Ardteistiméireacht

Aimsigh na briathra san Aimsir Fháistineach sna hailt ó léamhthuiscintí na hArdteistiméireachta.

Súil Siar ar 2013

Chuireamar slán leis an Triúracht (*Troika*) in 2013. Bhí siad sin ag coinneáil súil ghéar ar chúrsaí airgeadais na tíre, ag iarraidh ar an rialtas gearradh siar ar chaiteachas agus ciorruithe a chur i bhfeidhm. Tá siad imithe anois ach fanann a soiscéal eacnamaíochta i réim: is féidir fás a chothú ach gearradh a dhéanamh. Is maith an scéalaí an aimsir. Mheall Tóstal Éireann 2013 an-chuid cuairteoirí go hÉirinn anuraidh. Fáilte Éireann a reáchtáil an Tóstal chun daoine de bhunadh na hÉireann a mhealladh anseo ar saoire. Mheas daoine áirithe gur ar thóir airgead na gcuairteoirí a bhí Fáilte Éireann agus nach raibh aon suim acu sna cuairteoirí iad féin. Ba chosúil go raibh formhór na gcuairteoirí iontach sásta lena dturas ar an tír, áfach, agus b'ardú meanman do mhuintir na hÉireann na cuairteoirí a fheiceáil ag triail ar an tír as Sasana, as Meiriceá agus as gach cearn den domhan. Tá cuma níos fearr ar gheilleagar na hÉireann anois ná mar a bhíodh le cúpla bliain anuas ach nílimid gan cúis imní. An leanfaidh an fás beag geilleagrach atá le brath faoi láthair? An dtiocfaidh na cuairteoirí ar ais go hÉirinn?

2014 Léamhthuiscint B

Raidió na Gaeltachta: 40 Bliain ar an Aer

Chuir an rialtas Raidió na Gaeltachta ar bun de bharr an bhrú a chuir daoine ó na Gaeltachtaí éagsúla ar na polaiteoirí. Tá an rialtas faoi bhrú arís na laethanta seo. Tá airgead an stáit gann agus tá sé dian ar an rialtas an t-airgead a fháil le seirbhís chuimsitheach phoiblí a choimeád sa siúl i ngach réimse den saol. Tá ar RTÉ a gcuid seirbhísí uile a ghearradh siar cheal airgid. Ní dhearnadh aon mhórathrú ar Raidió na Gaeltachta go dtí seo ach ní féidir a bheith ag súil leis go n-éalóidh an stáisiún ó na ciorruithe mura dtagann feabhas ar an ngeilleagar go luath. Stáisiún Gaeilge is ea Raidió na Gaeltachta ó bunaíodh é. Ní bhíodh aon Bhéarla le cloisteáil air. Bíonn Béarla le cloisteáil anois tar éis a naoi a chlog tráthnóna ó ceadaíodh liricí Béarla ar na cláir a chraoltar faoin teideal Anocht fm. An bhfuil baol ann go mbeidh ar an stáisiún níos mó Béarla a chraoladh amach anseo le fanacht ar an aer? Faoi láthair, ní bhíonn comhlachtaí tráchtála ag fógairt a gcuid earraí ar Raidió na Gaeltachta. Má ghearrtar siar ar an airgead poiblí atá ar fáil don stáisiún, áfach, an mbeidh aon rogha acu ach tacaíocht airgid a lorg ón bhfógraíocht? Ceisteanna móra iad sin a bhaineann go dlúth le stádas an stáisiúin agus é ag druidim leis an leathchéad.

2013 Léamhthuiscint B

Cleachtadh 12.17

1. _____
2. _____

3. _____

Na Briathra Neamhrialta

Abair	Beir	Bí
déarfainn	bhéarfainn	bheinn
déarfá	bhéarfá	bheifeá
déarfadh sé/sí	bhéarfadh sé/sí	bheadh sé/sí
déarfaidís	bhéarfaimis	bheimis
déarfadh sibh	bhéarfadh sibh	bheadh sibh
déarfaidís	bhéarfaidís	bheidís
ní déarfadh sí	ní bhéarfadh sibh	ní bheadh sí
an ndéarfadh sibh?	an mbéarfadh sí?	an mbeadh sí?
déarfaí (saorbhriathar)	bhéarfaí (saorbhriathar)	bheifí (saorbhriathar)

Clois	Déan	Faigh
chloisfinn	dhéanfainn	gheobhainn
chloisfeá	dhéanfá	gheofá
chloisfeadh sé/sí	dhéanfadh sé/sí	gheobhadh sé/sí
chloisfimis	dhéanfaimis	gheobhaimis
chloisfeadh sibh	dhéanfadh sibh	gheobhadh sibh
chloisfidís	dhéanfaidís	gheobhaidís
ní chloisfeadh sí	ní dhéanfaidís	ní bhfaigheadh sibh
an gcloisfeadh sé?	an ndéanfaimis?	an bhfaigheadh sí?
chloisfí (saorbhriathar)	dhéanfaí (saorbhriathar)	gheofaí (saorbhriathar)

Feic	Ith	Tabhair
d'fheicfinn	d'íosfainn	thabharfainn
d'fheicfeá	d'íosfá	thabharfá
d'fheicfeadh sé/sí	d'íosfadh sé/sí	thabharfadh sé/sí
d'fheicfimis	d'íosfaimis	thabharfaimis
d'fheicfeadh sibh	d'íosfadh sibh	thabharfadh sibh
d'fheicfidís	d'íosfaidís	thabharfaidís
ní fheicfeadh sí	ní íosfaidís	ní thabharfaidís
an bhfeicfeadh sí?	an íosfadh sé?	an dtabharfadh sibh?
feicfear (saorbhriathar)	d'íosfaí (saorbhriathar)	thabharfaí (saorbhriathar)

Tar	Téigh
thiocfainn	rachainn
thiocfá	rachfá
thiocfadh sé/sí	rachadh sé/sí
thiocfaimis	rachaimis
thiocfadh sibh	rachadh sibh
thiocfaidís	rachaidís
ní thiocfadh sí	ní rachadh sí
an dtiocfaimis?	an rachadh sé?
thiocfaí (saorbhriathar)	rachfaí (saorbhriathar)

Cleachtadh 13.1

Cuir na briathra idir lúibíní sa Mhodh Coinníollach.

1. (Abair: mé) _____ slán leat dá mbeadh an seans agam.

2. (Beir) _____ na Gardaí ar an ngadaí dá gcuirfí ar an eolas iad.

3. (Bí: mé) _____ ag imirt peile dá mbeinn aclaí go leor.

4. (Clois: mé) _____ an clog ag bualadh dá mbeadh an clog ag obair i gceart.

5. (Déan: mé) _____ staidéar anocht muna mbeadh an cluiche sacair ar siúl.

6. (Faigh: tú) _____ marcanna maithe ón múinteoir dá mbeifeá ag staidéar.

7. (Feic: sinn) _____ an scannán dá mbeadh an cainéal sin againn.

8. (Ith: sibh) _____ an dinnéar dá mbeadh sé réidh.

9. (Tabhair: mé) _____ airgead di dá dtabharfadh sí ar ais dom é.

10. (Tar: sí) _____ abhaile ag an deireadh seachtaine dá mbeadh sí saor.

11. (Téigh: mé) _____ chuig Co. Chorcaí dá mbeadh carr agam.

Corcaigh

Cleachtadh 13.2

Cuir na briathra idir lúibíní sa Mhodh Coinníollach.

1. (Abair: sé) _____ rudaí deasa leat dá mbeifeá go deas leis.
2. (Beir: sé) _____ ar an liathróid dá mbeadh níos mó cleachtaidh déanta aige.
3. (Bí: sinn) _____ ag obair go dian gach lá dá mbeadh an obair ar fáil.
4. (Clois: tú) _____ an scéal dá labhrófá le daoine.
5. (Déan: mé) _____ mo sheacht ndícheall dá mbeadh suim agam san ábhar.
6. (Faigh: sibh) _____ post samhradh dá mbeadh sibh ag lorg post samhradh.
7. (Feic: sí) _____ Síle dá mbeadh sí ar scoil.
8. (Ith: sinn) _____ an bia dá mbeadh blas níos fearr air.
9. (Tabhair: mé) _____ cabhair duit dá mbeadh an t-am agam.
10. (Tar: sinn) _____ chuig an gcóisir go luath dá mbeimis in ann síob a fháil.
11. (Téigh: mé) _____ abhaile ag an deireadh seachtaine dá mbeadh an t-am agam.

Cleachtadh 13.3

Ceap abairtí a mbeidh na briathra seo a leanas oiriúnach mar thús dóibh.

1. Déarfainn _____
2. Bhéarfá _____
3. Bheinn _____
4. Chloisfimis _____
5. Dhéanfaidís _____
6. Gheobhainn _____
7. D'fheicfinn _____
8. D'íosfá _____
9. Thabharfainn _____
10. Thiocfá _____
11. Rachadh sibh _____

Cleachtadh 13.4

Cuir na briathra idir lúibíní sa Mhodh Coinníollach.

1. Ní (abair: sí) _____ slán leat fiú dá mbeadh sí os do chomhair.
2. Ní (ith: tú) _____ an ceapaire sin roimh do dhinnéar, an íosfá?

3. An (clois: sé) _____ an cailín ag canadh ón gcnoc sin?

4. Ní (beir: mé) _____ ar an lao sin, tá sé rósciobtha.

5. (Feic: mé) _____ an t-éan, dá mbeadh sé ag eitilt sa ghairdín.

6. An (déan: tú) _____ troscán dá mbeadh na scileanna agat?

7. (Téigh: siad) _____ chuig an bpáirc ina n-aonar dá ligfimis iad.

8. Ní (faigh: sí) _____ obair bhaile breise dá mbeadh a hiompar níos fearr.

9. An (bí) _____ an deis agaibh an obair sin a chríochnú anocht?

10. Ní (tabhair: mé) _____ airgead dóibh.

11. Ní (tar: siad) _____ aon chabhair dóibh mar níl siad go deas linn.

Cleachtadh 13.5

Aistrigh na habairtí seo a leanas:

1. Micheál would not say anything if he knew the true story.

   _____

2. I would be happier if the government built facilities for young people in every county.

   _____

   _____

3. Would you catch the ball if you had the training done?

   _____

4. I would hear the news if I had a radio.

   _____

5. We would do the work if we had the time.

   _____

6. Would you get a copy of the book for me?

   _____

7. I would see the movie if we had Netflix.

   _____

8. I would eat that cake if I were not training.

   _____

9. Would you give me a chance to speak?

   _____

10. Would they come home tomorrow if they had a lift?

    _____

11. I would not go to Spain if I had a choice.

    _____

Na Briathra Rialta

An Chéad Réimniú

Rialacha le foghlaim

- **Séimhiú** ag tús an bhriathair, mar shampla: **ch**uirfinn agus **th**ógfadh sé
- **Ní** + **séimhiú** roimh an mbriathar san fhoirm dhiúltach; mar shampla: ní **gh**lanfadh sí, ní **dh**únfainn. (Ní chuirtear **h** ar bhriathar a thosnaíonn le guta; mar shampla: ní íocfainn.)
- **d'** roimh ghuta nó roimh bhriathar a thosnaíonn le **f**; mar shampla: **d'**íocfainn, **d'f**hanfadh sé
- **An** + **urú** san fhoirm cheisteach; mar shampla: an **mb**uailfeá leis?, an **gc**uirfeadh sé?
- **–fimis** nuair atá **sinn** i gceist agus nuair a chríochnaíonn an fhréamh ar chonsan caol; mar shampla: rith**fimis**, bhris**fimis** agus d'éist**fimis**
- **–faimis** nuair atá **sinn** i gceist agus nuair a chríochnaíonn an focal ar chonsan leathan; mar shampla: d'ól**faimis**, scar**faimis** agus thriall**faimis**

Líon	Íoc	Rith	Caill
líonfainn	d'íocfainn	rithfinn	chaillfinn
líonfá	d'íocfá	rithfeá	chaillfeá
líonfadh sé/sí	d'íocfadh sé/sí	rithfeadh sé/sí	chaillfeadh sé/sí
líonfaimis	d'íocfaimis	rithfimis	chaillfimis
líonfadh sibh	d'íocfadh sibh	rithfeadh sibh	chaillfeadh sibh
líonfaidís	d'íocfaidís	rithfidís	chaillfidís
an líonfadh mé?	an íocfadh tú?	an rithfeadh tú?	an gcaillfeadh sibh?
ní líonfadh sé	ní íocfá	ní rithfeadh sí	ní chaillfeá
líonfaí	d'íocfaí	rithfí	chaillfí

Cleachtadh 13.6

Cuir na briathra idir lúibíní sa Mhodh Coinníollach.

1. Dá mbeinn tinn, (cuir: mé) _____ fios ar an dochtúir teaghlaigh.
2. Dá mbeadh an teach salach, (glan: mé) _____ é.
3. Dá mbeadh mo chuid obair bhaile críochnaithe agam, (féach: mé) _____ ar an teilifís.
4. Dá mbuafainn an crannchur náisiúnta, (stop: mé) _____ ag obair.
5. Ní (glac: mé) _____ leis.
6. An (éist: tú) _____ leis an raidió?
7. An (can: sinn) _____ an t-amhrán?

8. (Fan: mé) _____ sa leaba dá mbeadh an t-eolas sin agam.

9. (Tóg: mé) _____ foirgneamh nua dá mbeadh an t-airgead agam.

10. (Íoc: mé) _____ an fhíneáil dá mbeadh an t-airgead agam.

Cleachtadh 13.7

Cuir na briathra idir lúibíní sa Mhodh Coinníollach.

1. An (glan: tú) _____ mo charr dom, le do thoil?

2. (Mair: siad) _____ fiche bliain eile, dá n-íosfaidís an bia ceart.

3. Ní (tuig: sé) _____ an cheist sin.

4. (Éist: siad) _____ leis an raidió, dá mbeadh an t-am acu.

5. An (féach: sí) _____ ar an sobalchlár anocht?

6. (Las: siad) _____ soilse na sráideanna dá mbeadh an t-am acu.

7. (Póg: siad) _____ an chloch sin dá mbeadh an deis acu.

8. (Geall: mé) _____ duit go ndéanfainn mo dhícheall dá mbeinn in ann.

9. (Cuir: sé) _____ uisce san chiteal, dá mbeadh sé in ann seasamh.

10. (Cas: mé) _____ timpeall muna mbeadh pian i mo mhuineál agam.

Cleachtadh 13.8

Ceap abairtí a mbeidh na briathra seo a leanas oiriúnach mar thús dóibh.

1. Shábhálfainn _____

2. Thaispeánfá _____

3. Chniotálfainn _____

4. Ní chaillfeá _____

5. Chanfainn _____

6. Ghearrfainn _____

7. Thógfaidís _____

8. Thuillfinn _____

9. Ní throidfinn leat _____

10. Ní rithfeadh sé _____

Cleachtadh 13.9

Cuir na briathra idir lúibíní sa Mhodh Coinníollach.

1. Dá mbeadh tart orm, (ól) _____ gloine uisce.

2. Dá mbeadh sé ar eolas agam, (fan) _____ sa bhaile.

3. (Fan: mé) _____ sa bhaile dá mbeadh sé gaofar.

4. (Tóg: mé) _____ ionad spóirt i mo cheantar, dá mbeinn i m'Aire don cheantar seo.

5. Dá bhfeicfinn timpiste ar an mbóthar, (stop: mé) _____ an trácht agus (cuir : mé) _____ glaoch ar na seirbhísí éigeandála dá mbeadh gá leo.

6. (Tiomáin: sé) _____ abhaile muna mbeadh pian ina chos aige.

7. (Seas: sí) _____ os comhair an ghrúpa dá mbeadh sí in ann.

8. (Seinn: siad) _____ ceol dá mbeadh a n-uirlisí ceoil leo.

9. (Múch: mé) _____ an solas dá mbeadh an lasc in aice láimhe.

10. (Cuir: sé) _____ an dinnéar san oigheann dá mbeadh sé sa bhaile in am.

Cleachtadh 13.10

Aistrigh na habairtí seo a leanas.

1. She would run home if she had her running shoes.

_____

2. I would meet her if she was in the city on that day.

_____

3. I would pay the tax if I had the money now.

_____

4. We would leave the house earlier if we were busy.

_____

5. If my father lost his cap, he would blame me.

_____

6. If I had a music exam, I would do a lot of practice the day before.

_____

7. The teams would fight on the pitch if they had a chance to do so.

_____

8. I would run to the shop if I could.

_____

9. Would you break the law if it meant saving a life?

_____

10. I would use a tractor to do the work in the garden if we had one.

_____

An Dara Réimniú

Rialacha le foghlaim

- Cuirtear **séimhiú** ag tús an bhriathair, mar shampla: **ch**eisteoinn agus **bh**aileodh sé

- **Ní** + **séimhiú** roimh an mbriathar san fhoirm dhiúltach; mar shampla: **bh**aileodh sé, ní **ch**eisteodh sí. (Ní chuirtear **h** ar bhriathar a thosnaíonn le guta; mar shampla: ní aimseoinn)

- **d'** roimh ghuta nó roimh bhriathar a thosnaíonn le **f**; mar shampla: **d'**aimseoinn, **d'**ullmhódh sí agus **d'fh**oghlaimeoinn

- **An** + **urú** san fhoirm cheisteach; mar shampla: an **mb**uailfeá leis?, an **gc**uirfeadh sé?

- **–eoimis** nuair atá **sinn** i gceist agus nuair a chríochnaíonn an briathar ar chonsan caol; mar shampla: d'ins**eoimis**, d'eitl**eoimis** agus d'imr**eoimis**

- **–óimis** nuair atá **sinn** i gceist agus nuair a chríochnaíonn an briathar ar chonsan leathan; mar shampla: ceann**óimis**, d'oscl**óimis** agus bhagr**óimis**

Aimsigh	Ceistigh	Bailigh	Labhair
d'aimseoinn	cheisteoinn	bhaileoinn	labhróinn
d'aimseofá	cheisteofá	bhaileofá	labhrófá
d'aimseodh sé/sí	cheisteodh sé/sí	bhaileodh sé/sí	labhródh sé/sí
d'aimseoimis	cheisteoimis	bhaileoimis	labhróimis
d'aimseodh sibh	cheisteodh sibh	bhaileodh sibh	labhródh sibh
d'aimseofaidís	cheisteoidís	bhaileoidís	labhróidís
an aimseodh sibh?	an gceisteodh sí?	an mbaileodh sé?	an labhróimis?
ní aimseodh sibh	ní cheisteodh sí	ní bhaileodh sé	ní labhróimis
d'aimseofaí	cheisteofaí	bhaileofaí	labhrófaí

Cleachtadh 13.11

Cuir na briathra idir lúibíní sa Mhodh Coinníollach.

1. Dá gcuirfeá ceist orm, (freagair) _____ í.

2. Dá mbeadh an deis agam, (ceistigh: mé) _____ an fear sin mar gheall ar cad a bhí ar siúl aige.

3. (Ceannaigh: mé) _____ tithe nua agus caranna nua do mo chlann ar fad, dá mbeadh an t–airgead agam.

4. (Taistil: mé) _____ ar fud an domhain, dá mbeinn in ann.

5. Dá mbeinn i mo Thaoiseach, (oscail: mé) _____ aon ospideál atá dúnta láithreach bonn.

6. (Ullmhaigh) _____ Mamaí an dinnéar, dá mbeadh ocras orainn.

7. An (gortaigh: siad) _____ a ndroim leis an gcloch sin?

8. (Inis: mé) _____ an scéal, dá mbeadh sé ar eolas agam.

9. (Brostaigh: siad) _____ dá mbeadh an t-am ar eolas acu.

10. Ní (cuardaigh: siad) _____ an seomra, muna mbeadh na heochracha ann.

Cleachtadh 13.12

Cuir na briathra idir lúibíní sa Mhodh Coinníollach.

1. Dá mbeadh an t-airgead acu, (ceannaigh: siad) _____ an carr.

2. Dá mbeadh an rogha agam, (freagair: mé) _____ an cárta.

3. (Ordaigh: mé) _____ an leabhar dá mbeadh an suíomh idirlín ar eolas agam.

4. (Roghnaigh: siad) _____ an bia sin dá mbeadh sé ar an mbiachlár.

5. (Smaoinigh: sé) _____ ar an duine sin dá mbeadh an t-am aige.

6. (Imir: tú) _____ peil, dá mbeadh foireann i do cheantar.

7. (Sáraigh: sí) _____ an fhadhb dá mbeadh na scileanna aici.

8. Dá mbeadh an aimsir níos fearr, (taistil: mé) _____ chugat i Ros Comáin.

9. (Oscail: mé) _____ gnó nua, dá mbeadh smaoineamh agam.

10. An (ceannaigh: tú) _____ an t-uaireadóir sin?

Cleachtadh 13.13

Ceap abairtí a mbeidh na briathra seo a leanas oiriúnach mar thús dóibh.

1. Ní cheannódh _____

2. Dhúiseoinn _____

3. D'osclódh sibh _____

4. D'imreoidís _____

5. Ní bhrostóinn _____

6. D'ullmhóimis _____

7. Chuideoinn _____

8. Chuimhneoinn _____

9. D'oibreodh sibh _____

10 Bhaileofá _____

Cleachtadh 13.14

Cuir na briathra idir lúibíní sa Mhodh Coinníollach.

1. (Inis: sé) _____ scéal deas do na páistí dá mbeadh ciúnas aige.

2. (Eitil: mé) _____ amárach dá mbeadh an aimsir go maith.

3. Ní (imir: sibh) _____ aon chluiche sa pháirc sin dá leanfadh an bháisteach.

4. An (labhair: tú) _____ leis an múinteoir sa rang mar gheall ar an méid obair bhaile a fhaigheann muid?

5. (Ceannaigh: sí) _____ mála nua dá mbeadh an t-airgead aici.

6. (Oibrigh: mé) _____ go dian ar an bhfeirm dá mbeadh an fuinneamh agam.

7. (Bailigh: sinn) _____ feamainn ón trá dá mbeadh sé ann.

8. An (imigh: tú) _____ abhaile anois, le do thoil?

9. (Ceangail: sé) _____ an madra den chuaille dá rachadh sé isteach sa scoil.

10. (Codail: mé) _____ go sámh anocht dá mbeadh an leaba cóirithe dom.

Cleachtadh 13.15

Aistrigh na habairtí seo a leanas.

1. I would feel well if I ate good food.

   _____

2. Would you open the door, please?

   _____

3. Would you buy a car if you had the money?

   _____

4. The rules would not be changed if the teenagers changed the way they were.

   _____

   _____

5. I would change the country if I were Taoiseach.

   _____

6. They would sleep soundly tonight if they were tired.

   _____

7. Would they learn anything in the class?

   _____

8. If I woke up on time, I would be in school on time.

   _____

9. My friend would not talk to me if did not sit beside her in English class.

   _____

10. The game would begin if there was a referee.

    _____

Cleachtadh ar cheist na gramadaí don tSraith Shóisearach

Cuir na briathra idir lúibíní sa Mhodh Coinníollach.

(Tháinig) (1) turasóirí go hÉirinn dá mbéidís in ann. (Bhí: siad) (2) ag tnúth go mór le cúpla seachtain a chaitheamh anseo. (Chuaigh: siad) (3) go gach cearn den tír álainn seo dá mbeadh busanna ar fáil dóibh. (D'ith: siad) (4) bia agus (d'ól: siad) (5) deochanna na tíre dá mbeadh na tithe tábhairne ar oscailt. (Chonaic: siad) (6) áiteanna áille cosúil le hAillte an Mhóthair agus áiteanna eile ar Shlí an Atlantaigh Fhiáin dá mbeidís ar oscailt.

Cleachtadh 13.16

1. _____   4. _____

2. _____   5. _____

3. _____   6. _____

Cleachtadh ar cheist 6A don Ardteistiméireacht

Aimsigh na briathra sa Mhodh Coinníollach sna hailt ó léamhthuiscintí na hArdteistiméireachta.

Nelson Mandela: Laoch ar Lár

Chláraigh Mandela mar bhall den African National Congress (ANC), eagraíocht a bunaíodh in 1912 chun troid ar son chearta daonna an chine ghoirm san Afraic Theas. Modhanna síochánta dlíthiúla a chleacht an ANC agus iad ag iarraidh cás an chine ghoirm a fheabhsú. Níor thug na húdaráis gheala aird ar a gcuid feachtas agus, de réir a chéile, shíl an ANC nach n-oibreodh aon rud ach an foréigean. Nuair a scaoil na póilíní urchair le slua Afracach a bhí ag léirsiú in Sharpeville in 1960, agus nuair a maraíodh naoi nduine is seasca sa slad, athraíodh dearcadh Nelson Mandela agus an ANC go hiomlán. Bhunaigh siad eite mhíleata, Umkhonto we Sizwe, i 1961 le dul i mbun feachtas foréigin lena gcearta a bhaint amach. Gabhadh Mandela in 1962. Cuireadh ar a thriail é in éineacht le grúpa comrádaithe as iarracht a dhéanamh an rialtas a bhriseadh le foréigean. Gearradh príosúnacht saoil orthu in 1964. Coinníodh Mandela i ngéibheann ar Robben Island agus i bpríosún eile go dtí mí Feabhra 1990.

2014 Léamhthuiscint A

An Cogadh sa tSiria agus Géarchéim na nDídeanaithe

Sa tSiria sa bhliain 2011, thosaigh grúpaí éagsúla ag léirsiú in aghaidh Uachtarán na tíre, Bashar al-Assad. Bhí siad míshásta le réimeas ollsmachtach an Uachtaráin sa tír. Theastaigh ó na grúpaí éagsúla an daonlathas agus an tsaoirse a chur chun cinn sa tír. Ceapadh i dtús báire go dtiocfadh an dá thaobh ar réiteach síochánta, ach chuaigh an scéal in olcas. Faoi dheireadh na bliana 2011, bhí cogadh fíochmhar ar siúl ar fud na tíre. Ó shin i leith, tá ionsaithe míleata, buamáil leanúnach agus céasadh ar siúl gan stad sa tír. Deir na Náisiúin Aontaithe go bhfuil daoine ar gach taobh den aighneas ag déanamh coireanna cogaidh agus ag sárú chearta an duine. Is iad gnáthmhuintir na Siria atá ag fulaingt. Bíonn tuairiscí ar an nuacht go minic faoin gcogaíocht chruálach atá ar siúl i gcathair Aleppo. Tá an chathair ársa sin faoi léigear leanúnach le ceithre bliana anuas. Tá daoine á marú as éadan in aghaidh an lae sna ruathair mhíleata sa chathair. Tá céatadán an-mhór den phobal ruaigthe as a dtithe, gan teacht acu ar bhia ná ar uisce.

2017 Léamhthuiscint B

Cleachtadh 13.17

1. _____   2. _____

Na Briathra Neamhrialta

Abair	Beir	Bí
deirinn	bheirinn	bhínn
deirteá	bheirteá	bhíteá
deireadh sé/sí	bheireadh sé/sí	bhíodh sé/sí
deirimis	bheirimis	bhímis
deireadh sibh	bheireadh sibh	bhíodh sibh
deiridís	bheiridís	bhídís
an ndeirteá?	an mbeirteá?	an mbíteá?
ní deirinn	ní bheireadh sibh	ní bhíodh sí
deirtí	bheirtí	bhítí

Clois	Déan	Faigh
chloisinn	dhéanainn	d'fhaighinn
chloisteá	dhéantá	d'fhaighteá
chloiseadh sé/sí	dhéanadh sé/sí	d'fhaigheadh sé/sí
chloisimis	dhéanaimis	d'fhaighimis
chloiseadh sibh	dhéanadh sibh	d'fhaigheadh sibh
chloisidís	dhéanaidís	d'fhaighidís
an gcloisteá?	an ndéantá?	an bhfaighteá?
ní chloiseadh sibh	ní dhéanadh sí	ní fhaigheadh sé
chloistí	dhéantaí	d'fhaightí

Feic	Ith	Tabhair
d'fheicinn	d'ithinn	thugainn
d'fheicteá	d'iteá	thugtá
d'fheiceadh sé/sí	d'itheadh sé/sí	thugadh sé/sí
d'fheicimis	d'ithimis	thugaimis
d'fheiceadh sibh	d'itheadh sibh	thugadh sibh
d'fheicidís	d'ithidís	thugaidís
an bhfeicteá?	an iteá?	an dtugtá?
ní fheiceadh sibh	ní itheadh sí	ní thugadh sé
d'fheictí	d'ití	thugtaí

Tar	Téigh
thagainn	théinn
thagtá	théiteá
thagadh sé/sí	théadh sé/sí
thagaimis	théimis
thagadh sibh	théadh sibh
thagaidís	théidís
an dtagtá?	an dtéiteá?
ní thagadh sí	ní théadh sé
thagtaí	théití

Cleachtadh 14.1

Cuir na briathra idir lúibíní san Aimsir Ghnáthchaite.

1. (Abair: sí) _____ go raibh maith agat go minic uair amháin ina saol.

2. (Beir: mé) _____ ar iasc san abhainn le mo dhaid.

3. (Bí: sé) _____ ag obair go dian gach lá ar an bhfeirm.

4. (Clois: sí) _____ na héin ag canadh faoin tuath.

5. (Déan: muid) _____ ár gcuid obair bhaile tar éis scoile gach lá.

6. (Faigh: sé) _____ bronntanas óna sheanmháthair dá bhreithlá gach bliain.

7. (Feic: sí) _____ na buachaillí ag imirt iománaíochta ar an tsráid gach lá.

8. (Ith: mé) _____ prátaí, cabáiste agus feoil na muice do mo dhinnéar.

9. (Tabhair: mé) _____ cabhair do mo thuismitheoirí sa ghairdín.

10. (Tar: sé) _____ a col ceathrar chuig a teach ar feadh seachtaine.

11. (Téigh: mé) _____ chuig an bportach ag cnuchairt móna gach samhradh.

Cleachtadh 14.2

Cuir na briathra idir lúibíní san Aimsir Ghnáthchaite.

1. (Abair: muid) _____ ár bpaidreacha sa chistin gach oíche.

2. (Beir: sí) _____ ar an liathróid i rith an chluiche.

3. (Bí: siad) _____ ag siopadóireacht i lár na cathrach.

4. (Clois: muid) _____ an traein go luath gach maidin.

5. (Déan: sí) _____ garraíodóireacht dá cuid comharsan i rith an earraigh.

6. (Faigh: tú) _____ uachtar reoite tar éis dinnéir gach Domhnach.

7. (Feic: mé) _____ an bhean ag rothaíocht abhaile gach lá óna cuid oibre.

8. (Ith: sinn) _____ trí bhéile gach lá.

9. Ní (tabhair) _____ a mháthair bia dó roimh dhul a luí dó.

10. (Tar: mé) _____ abhaile ón scoile chónaithe gach deireadh seachtaine.

11. (Téigh: sé) _____ chuig an trá gach Domhnach.

Cleachtadh 14.3

Ceap abairtí a mbeidh na briathra seo a leanas oiriúnach mar thús dóibh.

1. Bhínn _____

2. D'fheicteá _____

3. Théimis _____

4. D'fhaighinn _____

5. Deirteá _____

6. Théadh sibh _____

7. Dhéantá _____

8. Bheirinn _____

9. Chloisteá _____

10. D'iteá _____

11. Thugainn _____

Cleachtadh 14.4

Cuir na briathra idir lúibíní san Aimsir Ghnáthchaite.

1. Ní (abair: sé) _____ léi a mála a thabhairt léi.

2. Ní (ith: mé) _____ sa chaifé sin.

3. An (clois: tú) _____ an nuacht is déanaí?

4. Ní (beir) _____ na Gardaí ar an ngadaí sin an t-am sin.

5. An (feic: tú) _____ do chara ar an mbus?

6. Ní (déan: sí) _____ a cuid obair bhaile in am.

7. Ní (téigh: siad) _____ go dtí an pháirc le haghaidh
    cluiche peile.

8. Ní (faigh: sé) _____ siúrca óna aintín dá chupán tae.

9. Ní (abair) _____ an múinteoir leis an rang nach raibh
    obair bhaile acu.

10. Ní (tabhair: siad) _____ aire dá ndeartháir óg.

11. Ní (tar: sibh) _____ chuig an dioscó ar an Aoine.

Cleachtadh 14.5

Aistrigh na habairtí seo a leanas.

1. I used to say to them: do your very best on the pitch.

    _____

2. The Gardaí used to catch the robbers stealing from the bank.

    _____

3. I used to shop in that shopping centre.

    _____

4. We used to hear the bells from the church every Sunday morning in the village.

    _____

    _____

5. I used not do the work on time.

    _____

6. They used to see each other regularly.

    _____

7. I used to get free sweets in that shop.

    _____

8. I used to go fishing every Saturday morning.

    _____

9. She used to give you help with your homework.

    _____

10. They used to come to visit us at the weekend.

    _____

11. I used to eat more fish, vegetables and potatoes.

    _____

Na Briathra Rialta

An Chéad Réimniú

Rialacha le foghlaim

- Cuirtear **séimhiú** ag tús an bhriathair, mar shampla: **ch**aithinn, **ch**uirinn, **gh**earrtá agus **th**ógainn.

- **Ní** + **séimhiú** san fhoirm dhiúltach; mar shampla: ní **sh**uíodh, ní **th**aispeánadh, ní **gh**lanadh sé/sí. (Ní chuirtear **h** ar bhriathar a thosnaíonn le guta; mar shampla: ní ólainn)

- **An** + **urú** san fhoirm cheisteach; mar shampla: an **dt**ógadh sí? an **ng**ealladh sé? (Ní chuirtear **urú** ar bhriathra a thosnaíonn le guta)

- **d'** roimh **ghuta** nó roimh bhriathar a thosaíonn le **f**; mar shampla: **d'ó**ladh sí, **d'fh**ágadh sibh agus **d'fh**ásadh sibh

Caith	Gearr	Fág	Ol
chaithinn	ghearrainn	d'fhágainn	d'ólainn
chaiteá	ghearrtá	d'fhágtá	d'óltá
chaitheadh sé/sí	ghearradh sé/sí	d'fhágadh sé/sí	d'óladh sé/sí
chaithimis	ghearraimis	d'fhágaimis	d'ólaimis
chaitheadh sibh	ghearradh sibh	d'fhágadh sibh	d'óladh sibh
chaithidís	ghearraidís	d'fhágaidís	d'ólaidís
an gcaiteá?	an ngearrtá?	an bhfágadh sí?	an óladh sé?
ní chaitinn	ní ghearrfadh sí	ní fhágadh sé	ní óladh sibh
chaití	ghearrtaí	d'fhágtaí	d'óltaí

Cleachtadh 14.6

Cuir na briathra idir lúibíní san Aimsir Ghnáthchaite.

1. (Caith: mé) _____ éadaí deasa gach deireadh seachtaine anuraidh.

2. (Gearr: tú) _____ an féar sa ghairdín sin i rith an tsamhraidh.

3. (Fág: siad) _____ an teach ina phraiseach gach aon mhaidin.

4. (Ól: sibh) _____ gach cartán bainne ón gcuisneoir.

5. (Geall) _____ mo chara cabhair a thabhairt dom gach tráthnóna.

6. (Glan: sé) _____ an teach ó bhun go barr.

7. (Can: sí) _____ os comhair an ghrúpa sa teach tábhairne sin.

8. (Tóg: sé) _____ go leor tithe sa cheantar sin uair amháin.

9. (Fág: sibh) _____ bhur málaí in bhur ndiaidh gach lá anuraidh.

10. (Léim) _____ an capall sin thar gach claí sa cheantar.

Cleachtadh 14.7

Cuir na briathra idir lúibíní san Aimsir Ghnáthchaite.

1. Ní (buail: mé) _____ le mo chara go minic arú anuraidh.

2. (Tuill: sí) _____ go leor airgid as a cuid oibre san óstán sin.

3. An (fág: sibh) _____ an scoil go luath?

4. (Díol) _____ an siopadóir gach saghas ruda sa seansiopa sin.

5. (Féach: siad) _____ ar an gclár bán sa rang staire ach go háirithe.

6. (Fill: sé) _____ ó Londain ar an eitilt luath sin ar maidin.

7. (Pléigh: siad) _____ fadhbanna an domhain sa rang sin.

8. (Teip) _____ orm sa scrúdú sin gach aon uair.

9. (Séid) _____ an réiteoir an fhéadóg go luath sna cluichí sin.

10. (Seinn: mé) _____ an pianó gach deireadh seachtaine arú anuraidh.

Cleachtadh 14.8

Ceap abairtí a mbeidh na briathra seo a leanas oiriúnach mar thús dóibh.

1. Shuínn _____

2. Bhrisimis _____

3. Chuirinn _____

4. D'fhágaidís _____

5. Ní ghealltá _____

6. Léinn _____

7. Ghlanaimis _____

8. D'úsáididís _____

9. Thaispeánainn _____

10. D'fhásadh sibh _____

Cleachtadh 14.9

Cuir na briathra idir lúibíní san Aimsir Ghnáthchaite.

1. (Éist: mé) _____ leis an raidió sa charr nuair a bhí carr agam.

2. (Buaigh: sinn) _____ an corn sna cluichí beaga a bhí eadrainn sa charrchlós.

3. (Tóg: tú) _____ aire mhaith do do dheartháir nuair a bhí sé óg.

4. (Féach: sinn) _____ ar Netflix go minic i rith an choróinvíris.

5. (Suigh: siad) _____ ar an mballa sin tar éis scoile fadó.

6. (Léigh: mé) _____ leabhair Marvel nuair a bhí mé an-óg.

7. (Glan: sibh) _____ bhur seomraí nuair a bhíodh an t-am agaibh.

8. Ní (siúil: tú) _____ abhaile ón scoil i d'aonair.

9. (Fág: mé) _____ an teach go luath ar maidin.

10. (Blais: sinn) _____ an bia ón mbialann sin anuraidh.

Cleachtadh 14.10

Aistrigh na habairtí seo a leanas.

1. He used to sit in the tractor on the farm.

   _____

   _____

2. I used to play the tin whistle once.

   _____

3. They used to save money regularly.

   _____

4. Did he clean his room when he was younger?

   _____

5. We used to break the window with the sliotar.

   _____

6. I used to leave the school at three o'clock every day.

   _____

7. Used you meet your friends last summer?

   _____

8. She used to write poetry in the evening.

   _____

9. My mother used to cut my hair once a month when I was younger.

   _____

10. I used to taste nice food at that restaurant.

   _____

An Dara Réimniú

Rialacha le foghlaim

- Cuirtear **séimhiú** ag tús an bhriathair, mar shampla: **ch**eannaínn, **bh**ailínn, **dh**uisímis
- **Ní** + **séimhiú** san fhoirm dhiúltach; mar shampla: ní **dh**úisídís, ní **bh**ailíteá, ní **ch**eannaínn
- **An** + **urú** san fhoirm cheisteach; mar shampla: an **gc**eannaíteá? an **gc**uidíodh sé/sí? (ní chuirtear **urú** ar bhriathra a thosnaíonn le guta). (Ní chuirtear **h** ar bhriathar a thosnaíonn le guta; mar shampla: ní oibrítí)
- **D'** roimh **ghuta** nó roimh bhriathar a thosaíonn le **f**; mar shampla: **d'**oibrínn, **d'**insídís

Ceannaigh	Inis	Oibrigh	Bailigh
cheannaínn	d'insínn	d'oibrínn	bhailínn
cheannaíteá	d'insíteá	d'oibríteá	bhailíteá
cheannaíodh sé/sí	d'insíodh sé/sí	d'oibríodh sé/sí	bhailíodh sé/sí
cheannaímis	d'insímis	d'oibrímis	bhailímis
cheannaíodh sibh	d'insíodh sibh	d'oibríodh sibh	bhailíodh sibh
cheannaídís	d'insídís	d'oibrídís	bhailídís
an gceannaíteá?	an insíteá?	an oibríteá?	an mbailíteá?
ní cheannaíteá	ní insíteá	ní oibrítí	ní bhailítí
ceannaítí	d'insítí	d'oibrítí	bhailítí

Cleachtadh 14.11

Cuir na briathra idir lúibíní san Aimsir Ghnáthchaite.

1. (Breathnaigh) _____ Síle ar go leor scannán ar líne nó ar Netflix.

2. An (ceannaigh: tú) _____ bróga nua go minic?

3. Ní (tosaigh) _____ na cluichí go dtí a trí a chlog ar an Satharn.

4. (Diúltaigh: sé) _____ aon obair tí a dhéanamh nuair a bhí sé óg.

5. (Éirigh: mé) _____ ar a seacht a chog gach samhradh.

6. (Ceannaigh: mé) _____ go leor seacláide uair amháin.

7. An (oibrigh: tú) _____ go dian i rith na Nollag?

8. (Bailigh: sí) _____ go leor málaí nuair a bhí sí óg.

9. An (foghlaim: tú) _____ sa rang sin?

10. (Codail: sinn) _____ go sámh de ghnáth.

Cleachtadh 14.12

Cuir na briathra idir lúibíní san Aimsir Ghnáthchaite.

1. (Gortaigh: sé) _____ a lámh sa chluiche iománaíochta.
2. Ní (inis: sí) _____ scéalta maithe dúinn sa rang.
3. (Tuirling: sinn) _____ as an traein ag an stop sin.
4. An (imir: siad) _____ aon chluiche i rith an gheimhridh?
5. (Imigh) _____ an buachaill gach tráthnóna.
6. (Oibrigh: siad) _____ go dian i rith an ama sin.
7. (Beartaigh: mé) _____ dul i dtreo na múinteoireachta.
8. (Feabhsaigh) _____ an aimsir i rith an earraigh.
9. (Codail: sí) _____ go dtí a seacht ar maidin agus í ina leanbh.
10. (Ullmhaigh: sinn) _____ go maith don scrúdú.

Cleachtadh 14.13

Ceap abairtí a mbeidh na briathra seo a leanas oiriúnach mar thús dóibh.

1. Théinn _____
2. Ní imrídís _____
3. D'éiríteá _____
4. D'insínn _____
5. Ní chabhraínn _____
6. Ní fhiosraínn _____
7. Bhagraíteá _____
8. An éirímis _____ ?
9. D'osclaíodh sé _____
10. Cheanglaíodh sí _____

Cleachtadh 14.14

Cuir na briathra idir lúibíní san Aimsir Ghnáthchaite.

1. (Múscail) _____ fearg orm nuair a léinn an nuacht.
2. (Cónaigh) _____ mo chlann faoin tuath na blianta ó shin.
3. (Aistrigh: mé) _____ go leor cáipéisí ó Bhéarla go Gaeilge i gcaitheamh na mblianta.
4. Ní (dúisigh: sí) _____ tar éis di a bheith amuigh go déanach lena cairde.

5. An (ceannaigh: siad) _____ bronntanas dá dtuismitheoirí gach Nollaig?

6. (Imigh: sinn) _____ go luath ón bpáirc.

7. (Oscail: sé) _____ an doras gach tráthnóna.

8. (Aontaigh) _____ mo mháthair liom mar gheall ar an méid obair bhaile a d'fhaighimis.

9. (Bagair) _____ an buachaill dána gach éinne sa siopa sin.

10. (Imir: mé) _____ badmantan le mo chara John gach Domhnach.

Cleachtadh 14.15

Aistrigh na habairtí seo a leanas.

1. I used to open the door every morning.

   _____

2. I used to buy sweets every day.

   _____

3. They used to sleep until twelve o'clock every Saturday.

   _____

4. We used to collect the jerseys after the games.

   _____

5. I used to learn a huge amount in school.

   _____

6. They used to tell the truth about the problem.

   _____

7. He used not open any presents before Christmas Day.

   _____

8. I used to answer questions from the students.

   _____

9. They used to attend the nightclub every Friday night.

   _____

10. I used to transfer the money every week.

    _____

    _____

Cleachtadh ar cheist na gramadaí don tSraith Shóisearach

Cuir san Aimsir Ghnáthchaite iad.

(Tháinig: mé) (1) ar thuras go hÉirinn. (Bhí: mé) (2) ag tnúth go mór le cúpla seachtain a chaitheamh ann. (Chuaigh: mé) (3) go gach cearn den tír álainn seo. (D'ith: mé) (4) bia agus (d'ól: mé) (5) deochanna na tíre. (Chonaic: mé) (6) áiteanna áille cosúil le hAillte an Mhóthair agus áiteanna eile ar Shlí an Atlantaigh Fhiáin.

Cleachtadh 14.16

1. _____ 4. _____

2. _____ 5. _____

3. _____ 6. _____

Cleachtadh ar cheist 6A don Ardteistiméireacht

Aimsigh na briathra san Aimsir Ghnáthchaite sna hailt ó léamhthuiscintí na hArdteistiméireachta.

De Shiúl na gCos go Cathair Santiago

Níor rug mé liom ach na riachtanais bhunúsacha i mála droma beag. Is minic a shamhlaigh mé an mála sin mar shiombail den ualach a leag mé ar dhaoine i rith na mblianta. B'fhéidir gurbh é an gá a bhí agam le haithreachas a dhéanamh as sin a thug orm an mála droma a iompar le foighne agus le buíochas. Chaithinn na hoícheanta i mbrúnna beaga (*albergue*) feadh an bhealaigh. Is iomaí cineál duine a bhuail liom agus níorbh í an chuid ba dheise den nádúr daonna a tháinig chun solais uaireanta. Is cuimhin lion an seisear Francach i mbrú in Larrasoana nár chaith focal sibhialta liom i rith bhéile an tráthnóna. Agus tá cuimhne agam freisin ar an tábhairneoir in Fomista a raibh orm tabhairt amach dó as Spáinnis mar nach raibh sé sásta freastal orm. Ach os a choinne sin ní dhéanfaidh mé dearmad ar Rónán a tháinig ón Astráil leis an *camino* a shiúl agus chaitheann a shaol ag cabhrú le handúiligh dhrúgaí.

SEC Páipéar Samplach Léamhthuiscint A

De Shiúl na gCos go Cathair Santiago

Ba sa seachtú haois a tosaíodh ar phoiblíocht a thabhairt don mhíorúilt a thugann a comhartha aitheantais don oilithreacht go Compostela. De réir an tseanchais, fuarthas duine báite agus a chorp clúdaithe le sliogáin mhuiríní, agus tugadh ar ais ina bheatha é trí idirghuí Santiago, an naomh a dtugtar San Séamas air sa tír seo. Ó shin i leith bronntar sliogán muirín, in ómós do Santiago, ar gach duine a n-éiríonn leis an oilithreacht a dhéanamh. Ach deir na hantraipeolaithe go mbíodh daoine ag déanamh an turais i bhfad roimh aimsir Santiago. Shiúladh daoine réamhstairiúla an bóthar go Finisterre, agus Bealach na Bó Finne sa spéir mar threoir acu. Chreidtí gur áit naofa ba ea Finisterre. Dhéantaí Dia na Gréine a adhradh ansin agus an ghrian ag dul faoi san fharraige. Deir lucht seandálaíochta go mbíodh Rí na Réaltaí á adhradh ag na Ceiltigh i dteampaill oscailte ar bharr na n-aillte san áit. Théadh na Rómhánaigh ann freisin. Ba iad a thug Finisterre ar an áit, focal a chiallaíonn 'foirceann na talún' nó an áit dheireanach ar thalamh an domhain.

SEC Páipéar Samplach Léamhthuiscint A

Cleachtadh 14.17

1. _____ 3. _____

2. _____ 4. _____

An Briathar (Saorbhriathar)

Tagraíonn an saorbhriathar do ghníomh. Ní luaitear gníomhaí.

An Saorbhriathar san Aimsir Chaite

Na Briathra Neamhrialta

Fréamh	Saorbhriathar Dearfach	Saorbhriathar Diúltach
abair	dúradh	ní dúradh
beir	rugadh	níor rugadh
bí	bhíothas	ní rabhthas
clois	chualathas	níor chualathas
déan	rinneadh	ní dhearnadh
faigh	fuarthas	ní bhfuarthas
feic	chonacthas	ní fhacthas
ith	itheadh	níor itheadh
tabhair	tugadh	níor tugadh
tar	thángthas	níor thángthas
téigh	chuathas	ní dheachthas

Cleachtadh 15.1

Úsáid Saorbhriathra na mbriathra idir lúibíní.

1. (Abair) _____dúradh_____ ✓ go raibh athruithe ag teacht.

2. Níor (beir) _____rugadh_____ ✓ ar an liathróid sa chéad leath.

3. Níor (ith) _____itheadh_____ ✓ lón toisc nár tugadh sos dóibh.

4. (Clois) _____chualathas_____ ✓ an nuacht ar an raidió sa charr.

5. (Faigh) _fuarthas_ ✓ amach go raibh trioblóid sa chomhlacht sin.
6. (Tabhair) _tugadh_ ✓ bualadh bos mór do na ceoltóirí.
7. (Tar) _thangthas_ ✓ tríd an bpáirc gan aon fhadhb.
8. Ní (feic) _fhacthas_ ✓ an banna ceoil sa chúlardán.
9. (Déan) _rinneadh_ ✓ praiseach den áit.
10. Ní (bí) _bhíothas_ ✓ in ann an chéim a ghlacadh.
11. (Téigh) _chuathas_ ✓ i mbun oibre.

Cleachtadh 15.2

Aistrigh na habairtí seo a leanas.

1. The dinner was not eaten.
   Níor itheadh an dhinnéar ✓

2. It was said that all was good.
   Dúradh go raibh gach rud ceart go leoir.

3. The paper was not seen.
   Ní fhacthas an phápair.

4. The children were given help.
   Tugadh cabhair do na páistí

5. The field was damaged.
   Rinneadh dámáiste don phaire.

6. Various people were contacted.
   Chuathas i dteagmháil le daoine éagsula

7. It was thought.
   Bhíothas den tuairim.

8. A solution was reached.
   Thangthas ar réiteach

9. The excuses were heard.
   Chualathas na leithscéalta

10. They were found guilty.
    Fuarthas ciontach iad

11. The thieves were caught.
    Rugadh ar na gadaithe.

Na Briathra Rialta

An Chéad Réimniú

Riail le foghlaim

Cuirtear **–adh** nó **–eadh** le fréamh an bhriathair san **Aimsir Chaite**.

Fréamh	Saorbhriathar Dearfach	Saorbhriathar Diúltach
bris	briseadh	níor briseadh
caith	caitheadh	níor caitheadh
cuir	cuireadh	níor cuireadh
dún	dúnadh	níor dúnadh
éist	éisteadh	níor éisteadh
fan	fanadh	níor fanadh
féach	féachadh	níor féachadh
glan	glanadh	níor glanadh
ól	óladh	níor óladh
scríobh	scríobhadh	níor scríobhadh
stop	stopadh	níor stopadh
tóg	tógadh	níor tógadh
úsáid	úsáideadh	níor úsáideadh

Cleachtadh 15.3

Úsáid Saorbhriathra na mbriathra idir lúibíní.

1. (Bris) _____Briseadh_____ an fhuinneog sa teach sin.
2. (Dún) _____dúnadh_____ an doras.
3. Níor (éist) _____éisteadh_____ leis an raidió.
4. (Fág) _____ taobh amuigh den siopa é.
5. Níor (glan) _____glanadh_____ an teach.
6. (Ól) _____ na deochanna ar fad a bhí ann.
7. (Can) _____ amhráin dheasa ag an seó aréir.
8. Níor (tóg) _____ an foirgneamh sin go fóill.
9. (Éist) _____ leis an nuacht aréir.
10. Níor (úsáid) _____ na huirlisí sin i gceart.

Cleachtadh 15.4

Aistrigh na habairtí seo a leanas.

1. The door was closed.

   _____

2. The glass was broken.

   _____

3. The news was listened to.

4. The essay was not written.

5. The water was drunk.

6. The robbers were stopped.

7. The correct car was not used.

8. The house was built.

9. The music was stopped.

10. The bag was put in the cupboard.

An Dara Réimniú

Riail le foghlaim

Cuirtear **-íodh** nó **-aíodh** le fréamh an bhriathair san **Aimsir Chaite**.

Fréamh	Saorbhriathar Dearfach	Saorbhriathar Diúltach
aimsigh	aimsíodh	níor aimsíodh
bailigh	bailíodh	níor bailíodh
cabhraigh	cabhraíodh	níor cabhraíodh
ceannaigh	ceannaíodh	níor ceannaíodh
críochnaigh	críochnaíodh	níor críochnaíodh
éirigh	éiríodh	níor éiríodh
feabhsaigh	feabhsaíodh	níor feabhsaíodh
foghlaim	foghlaimíodh	níor foghlaimíodh
imir	imríodh	níor imríodh
oibrigh	oibríodh	níor oibríodh
oscail	osclaíodh	níor osclaíodh
roghnaigh	roghnaíodh	níor roghnaíodh
tosaigh	tosaíodh	níor tosaíodh

Cleachtadh 15.5

Úsáid Saorbhriathra na mbriathra idir lúibíní.

1. Níor (tosaigh) _____ an cluiche gan aon réiteoir.
2. Níor (críochnaigh) _____ an cluiche.
3. (Bailigh) _____ an bruscar aréir.
4. (Imir) _____ an cluiche haca faoi dhíon.
5. Níor (roghnaigh) _____ aon duine don phost nua.
6. (Tosaigh) _____ togra nua in iarthar an Chláir.
7. (Aimsigh) _____ bradáin mhóra san abhainn sin.
8. Níor (imir) _____ go leor cluichí anuraidh de bhar an choróinvíris.
9. (Ceannaigh) _____ go leor carranna nua an bhliain seo caite.
10. Níor (tosaigh) _____ an tógáil go fóill.

Cleachtadh 15.6

Aistrigh na habairtí seo a leanas.

1. The bags were gathered.

_____

2. The game ended.

_____

3. The children were chosen.

_____

4. The dinner was prepared.

_____

5. The homework was learned.

_____

6. The game was not played.

_____

7. The door was opened.

_____

8. The people were not helped.

_____

9. The house was started.

_____

10. A lot of games were not played last year.

_____

An Saorbhriathar san Aimsir Láithreach
Na Briathra Neamhrialta

Fréamh	Saorbhriathar Dearfach	Saorbhriathar Diúltach
abair	deirtear	ní deirtear
beir	beirtear	ní bheirtear
bí	táthar/bítear	níltear/ní bhítear
clois	cloistear	ní chloistear
déan	déantar	ní dhéantar
faigh	faightear	ní fhaightear
feic	feictear	ní fheictear
ith	itear	ní itear
tabhair	tugtar	ní thugtar
tar	tagtar	ní thagtar
téigh	téitear	ní théitear

Cleachtadh 15.7

Cuir na briathra idir lúibíní sa Saorbhriathar.

1. (Abair) _____ go bhfuil sé an-deas san Iodáil.
2. (Beir) _____ a lán laonna gach bliain.
3. (Ith) _____ bia maith sna bialanna deasa.
4. (Clois) _____ scéalta maithe gach lá sa domhan.
5. (Faigh) _____ earraí maithe sna siopaí i lár na cathrach.
6. (Tabhair) _____ tuarastal maith do dhaoine i bpoist mhóra.
7. (Tar) _____ go hÉirinn ó chian agus ó chóngar gach bliain.
8. (Feic) _____ bannaí ceoil ag ceolchoirmeacha gach bliain.
9. (Déan) _____ obair mhór sna scoileanna gach bliain.
10. (Bí) _____ ag tuar na dea-aimsire i gcónaí.
11. (Téigh) _____ ina bharr air gach uair.

Cleachtadh 15.8

Aistrigh na habairtí seo a leanas.

1. It is said that being in nature is good for you.

_____

2. A lot of children are born each year.

_____

3. Good food is eaten every morning.

4. Good stories are heard every day.

5. Good food is got in shops every day.

6. Good applicants are given good jobs.

7. Many travel here from near and far.

8. Good musicians are seen on stage.

9. Work is always done each day.

10. Bad weather is always predicted.

11. One enters at the main door.

Na Briathra Rialta

An Chéad Réimniú

Riail le foghlaim

Cuirtear **–tar** nó **–tear** le fréamh an bhriathair san **Aimsir Láithreach**.

Fréamh	Saorbhriathar Dearfach	Saorbhriathar Diúltach
bris	bristear	ní bhristear
caith	caitear	ní chaitear
cuir	cuirtear	ní chuirtear
dún	dúntar	ní dhúntar
éist	éistear	ní éistear
fan	fantar	ní fhantar
féach	féachtar	ní fhéachtar
glan	glantar	ní ghlantar
ól	óltar	ní óltar
scríobh	scríobhtar	ní scríobhtar
stop	stoptar	ní stoptar
tóg	tógtar	ní thógtar
úsáid	úsáidtear	ní úsáidtear

Cleachtadh 15.9

Cuir na briathra idir lúibíní sa Saorbhriathar.

1. (Caith) _____Caithtear_____ amach bia ón teach sin gach lá.
2. Ní (bris) _____bhristear_____ an dlí sibhialta.
3. (Cuir) _____Cuirtear_____ brú ar dhaltaí bia folláin a ithe gach lá.
4. (Glan) _____Glantar_____ an seomra sin gach deireadh seachtaine.
5. Ní (féach) _____Fhéachtar_____ ar an teilifís i ndiaidh a naoi a chlog gach oíche.
6. (Ól) _____óltar_____ deochanna deasa sa chistin sin.
7. Ní (scríobh) _____Scríobhtar_____ rudaí deasa ar líne uaireanta.
8. (Tóg) _____tógtar_____ tithe nua i mBaile Átha Cliath gach bliain.
9. (Éist) _____éistar_____ leis an gceol sa bhus sin gach Domhnach.
10. (Stop) _____Stoptar_____ drugaí ag teacht isteach sa tír seo.

Cleachtadh 15.10

Aistrigh na habairtí seo a leanas.

1. The radio is listened to every day.

   _____

2. A lot of articles are written in the paper.

   _____

3. Many tractors are used on farms.

   _____

4. Music is listened to every day.

   _____

5. Water is drunk every day.

   _____

6. The doors are closed every day.

   _____

7. The buses are stopped at the border.

   _____

8. The ball is thrown at the wall.

   _____

9. Many windows are broken by sliotars.

   _____

10. The rooms are not cleaned regularly.

   _____

An Dara Réimniú

Riail le foghlaim

Cuirtear **-ítear** nó **-aítear** le fréamh an bhriathair san **Aimsir Láithreach**.

Fréamh	Saorbhriathar Dearfach	Saorbhriathar Diúltach
aimsigh	aimsítear	ní aimsítear
bailigh	bailítear	ní bhailítear
cabhraigh	cabhraítear	ní chabhraítear
ceannaigh	ceannaítear	ní cheannaítear
críochnaigh	críochnaítear	ní chríochnaítear
éirigh	éirítear	ní éirítear
feabhsaigh	feabhsaítear	ní fheabhsaítear
foghlaim	foghlaimítear	ní fhoghlaimítear
imir	imrítear	ní imrítear
oibrigh	oibrítear	ní oibrítear
oscail	osclaítear	ní osclaítear
roghnaigh	roghnaítear	ní roghnaítear
tosaigh	tosaítear	ní thosaítear

Cleachtadh 15.11

Cuir na briathra idir lúibíní sa Saorbhriathar.

1. (Críochnaigh) _____Críochnaítear_____ an rang ag an am céanna gach lá.
2. (Ceannaigh) _____ceannaítear_____ an bia sa siopa sin gach seachtain.
3. (Éirigh) _____éirítear_____ ag an am céanna gach lá.
4. Ní (foghlaim) _____fhoghlaimítear_____ rudaí nua sa rang sin gach lá.
5. Ní (roghnaigh) _____roghnaítear_____ an mhilseog chéanna gach uair.
6. Ní (tosaigh) _____thosaítear_____ cluiche gan an réiteoir.
7. (Oibrigh) _____oibrítear_____ ó dhubh go dubh sa mhonarcha sin.
8. (Oscail) _____osclaítear_____ na dorais sin gach lá.
9. (Imir) _____imrítear_____ cluichí haca sa pháirc sin gach tráthnóna.
10. (Feabhsaigh) _____feabhsaítear_____ a gcuid scileanna labhartha sa rang sin.

Cleachtadh 15.12

Aistrigh na habairtí seo a leanas.

1. The cattle are fed (cothaigh) every day.

_____

_____

_____

2. The children are helped in school.

_____

3. The games are started every day.

_____

4. The work is finished at the same time.

_____

5. A new president is chosen every year.

_____

6. The work is learned every day.

_____

7. The doors of the school are opened every morning.

_____

8. The toys are collected every evening.

_____

9. Lessons are improved every year.

_____

10. The referees are helped during games.

_____

An Saorbhriathar san Aimsir Fháistineach
Na Briathra Neamhrialta

Fréamh	Saorbhriathar Dearfach	Saorbhriathar Diúltach
abair	déarfar	ní déarfar
beir	béarfar	ní bhéarfar
bí	beifear	ní bheifear
clois	cloisfear	ní chloisfear
déan	déanfar	ní dhéanfar
faigh	gheofar	ní bhfaighfear
feic	feicfear	ní fheicfear
ith	íosfar	ní íosfar
tabhair	tabharfar	ní thabharfar
tar	tiocfar	ní thiocfar
téigh	rachfar	ní rachfar

Cleachtadh 15.13

Cuir na briathra idir lúibíní sa Saorbhriathar.

1. (Abair) _déarfar_ go mbeidh gach rud ceart go leor.
2. (Beir) _béarfar_ ar gach liathróid sa chluiche.
3. (Ith) _íosfar_ dea-bhia sa bhialann veigeatóireach.
4. (Clois) _Cloisfear_ na ráflaí ar scoil amárach.
5. (Faigh) _gheofar_ bróga spóirt nua sa siopa sin.
6. (Tabhair) _tabharfar_ airgead póca don duine a dhéanfaidh an obair.
7. (Tar) _tiocfar_ go Gaillimh ó gach áit don samhradh.
8. (Feic) _feicfear_ go leor turasóirí in iarthar na tíre sa samhradh.
9. (Déan) _déanfar_ go leor ullmhúcháin don seó mór.
10. (Bí) _beifear_ ag súil le dea-aimsir i rith an tsamhraidh.
11. (Téigh) _rachfar_ i ngleic leis an bhfadhb seo.

Cleachtadh 15.14

Aistrigh na habairtí seo a leanas.

1. It will be said that life is good.
   Déarfar

2. A lot of children will be born next year.
   Béarfar

3. Good food will be eaten in the morning.
   Íosfar

4. A lot of stories will be heard tomorrow.
   Cloisfear

5. Books will be got for school.
   Gheofar

6. A lot of homework will be given tomorrow.

7. It will be brought to you.
   Tabharfear

8. A lot of football will be seen in West Kerry.

9. The work will be done tomorrow.

10. Good weather will be predicted.

11. The application will not be proceeded with.

Na Briathra Rialta

An Chéad Réimniú

Riail le foghlaim

Cuirtear **-far** nó **-fear** le fréamh an bhriathair san **Aimsir Fháistineach**.

Fréamh	Saorbhriathar Dearfach	Saorbhriathar Diúltach
bris	brisfear	ní bhrisfear
caith	caithfear	ní chaithfear
cuir	cuirfear	ní chuirfear
dún	dúnfar	ní dhúnfar
éist	éistfear	ní éistfear
fan	fanfar	ní fhanfar
féach	féachfar	ní fhéachfar
glan	glanfar	ní ghlanfar
ól	ólfar	ní ólfar
scríobh	scríobhfar	ní scríobhfar
stop	stopfar	ní stopfar
tóg	tógfar	ní thógfar
úsáid	úsáidfear	ní úsáidfear

Cleachtadh 15.15

Cuir na briathra idir lúibíní sa Saorbhriathar.

1. (Caith) _caithfear_ tús a chur leis an obair sin.
2. (Bris) _brisfear_ an geata sin leis an tarracóir.
3. (Cuir) _cuirfear_ deireadh leis an bpionós sin go luath.
4. (Glan) _glanfar_ an scoil go rialta an bhliain seo chugainn.
5. (Féach) _féachfar_ ar an gcluiche mór Dé Domhnaigh.
6. (Ól) _ólfar_ uisce as an mbuidéal sin.
7. Ní (scríobh) _scríobhfar_ rudaí maithe sna páipéir faoin timpeallacht.
8. (Tóg) _tógfar_ óstán nua i gContae an Chláir i mbliana.
9. (Éist) _éistfear_ leis an mbanna ceoil ag an ngig sin.
10. (Stop) _stopfar_ ó ghlacadh drugaí go luath.

Cleachtadh 15.16

Aistrigh na habairtí seo a leanas.

1. The phone will be broken.

2. The ball will be thrown in that direction.

3. Rules will be put in place.

4. The border will be closed.

5. The poet will be listened to.

6. The game will be watched.

7. The toilet will be cleaned.

8. The whiskey will be drunk.

9. The article will be written.

10. The room will be used.

An Dara Réimniú

Riail le foghlaim

Cuirtear **-ófar** nó **-eofar** le fréamh an bhriathair san **Aimsir Láithreach**.

Fréamh	Saorbhriathar Dearfach	Saorbhriathar Diúltach
aimsigh	aimseofar	ní aimseofar
bailigh	baileofar	ní bhaileofar
cabhraigh	cabhrófar	ní chabhrófar
ceannaigh	ceannófar	ní cheannófar
críochnaigh	críochnófar	ní chríochnófar
éirigh	éireofar	ní éireofar
feabhsaigh	feabhsófar	ní fheabhsófar
foghlaim	foghlaimeofar	ní fhoghlaimeofar
imir	imreofar	ní imreofar
oibrigh	oibreofar	ní oibreofar
oscail	osclófar	ní osclófar
roghnaigh	roghnófar	ní roghnófar
tosaigh	tosófar	ní thosófar

Cleachtadh 15.17

Cuir na briathra idir lúibíní sa Saorbhriathar.

1. (Críochnaigh) _____ leis an tseafóid seo go luath.

2. (Ceannaigh) _____ éadaí deasa sa siopa sin.

3. (Feabhsaigh) _____ a chuid scileanna sa Ghaeilge.

4. (Foghlaim) _____ go leor rudaí sa rang sin.

5. (Roghnaigh) _____ captaen maith don fhoireann.

6. Ní (tosaigh) _____ an cluiche sin go róluath.

7. (Oibrigh) _____ go dtí deireadh an lae.

8. (Oscail) _____ doras an chlub oíche ar a hocht.

9. (Imir) _____ cluiche boird anocht sa teach.

10. (Feabhsaigh) _____ a gcuid scileanna cumarsáide.

Cleachtadh 15.18

Aistrigh na habairtí seo a leanas.

1. The cattle will be gathered for the mart.

   _____

2. Flowers will always be bought for people.

   _____

3. New ideas will be learned in the class.

   _____

4. The best players will be chosen.

   _____

5. The class will be started on time.

   _____

6. A lot of work will be finished today.

   _____

7. The gates will be opened for the lorries.

   _____

8. The games will be played.

   _____

9. The rules will be changed every year.

   _____

10. The people will be helped.

   _____

An Saorbhriathar sa Mhodh Coinníollach
Na Briathra Neamhrialta

Fréamh	Saorbhriathar Dearfach	Saorbhriathar Diúltach
abair	déarfaí	ní déarfaí
beir	bhéarfaí	ní bhéarfaí
bí	bheifí	ní bheifí
clois	chloisfí	ní chloisfí
déan	dhéanfaí	ní dhéanfaí
faigh	gheofaí	ní gheofaí
feic	d'fheicfí	ní fheicfí
ith	d'íosfaí	ní íosfaí
tabhair	thabharfaí	ní thabharfaí
tar	thiocfaí	ní thiocfaí
téigh	rachfaí	ní rachfaí

Cleachtadh 15.19

Cuir na briathra idir lúibíní sa Saorbhriathar.

1. (Abair) _____ go mbeadh gach rud ceart go leor dá mbeadh na háiseanna ar fáil.
2. (Beir) _____ ar gach liathróid dá mbeadh na scileanna ag na himreoirí.
3. (Ith) _____ dea-bhia dá mbeadh sé ar fáil sa bhialann.
4. (Clois) _____ na ráflaí ar scoil dá mbeadh na buachaillí ag caint.
5. (Faigh) _____ bróga spóirt nua dá mbeadh an siopa ar oscailt.
6. (Tabhair) _____ airgead póca don chailín dá ndéanfadh sí an obair.
7. (Tar) _____ go Gaillimh dá mbeadh na córais taistil ar fáil.
8. (Feic) _____ go leor turasóirí dá mbeadh an aimsir go maith.
9. (Déan) _____ go leor ullmhúcháin dá mbeadh seomra ar fáil.
10. (Bí) _____ ag súil le dea-aimsir dá mbeadh tuar na haimsire go maith.
11. (Téigh) _____ go dtí Meireceá dá mbeadh na heitleáin ar fáil don turas.

Cleachtadh 15.20

Aistrigh na habairtí seo a leanas.

1. It would be said that life was good if everyone had longer holidays.

_____

2. You would not be caught.

_____

3. Good food would be eaten in the morning if it was in the kitchen.

4. A lot of stories would be heard tomorrow if storytellers were available.

5. Books would be got for school if the money was there.

6. A lot of homework would be given tomorrow if the students had not completed today's homework.

7. We would come from near and far to see the game.

8. A lot of football would be seen on television if the Coronavirus was not in the country.

9. The work would be done tomorrow if the children were not busy.

10. Good weather would be predicted if we had the tools to do it.

11. There would be no problem if action were taken.

Na Briathra Rialta

An Chéad Réimniú

Riail le foghlaim

Cuirtear –**faí** nó –**fí** le fréamh an bhriathair sa **Mhodh Coinníollach.**

Fréamh	Saorbhriathar Dearfach	Saorbhriathar Diúltach
bris	bhrisfí	ní bhrisfí
caith	chaithfí	ní chaithfí
cuir	chuirfí	ní chuirfí
dún	dhúnfaí	ní dhúnfaí
éist	d'éistfí	ní éistfí
fan	d'fhanfaí	ní fhanfaí
féach	d'fhéachfaí	ní fhéachfaí
glan	ghlanfaí	ní ghlanfaí
ól	d'ólfaí	ní ólfaí
scríobh	scríobhfaí	ní scríobhfaí
stop	stopfaí	ní stopfaí
tóg	thógfaí	ní thógfaí
úsáid	d'úsáidfí	ní úsáidfí

Cleachtadh 15.21

Cuir na briathra idir lúibíní sa Saorbhriathar.

1. (Caith) _____ an ceacht a mhúineadh arís dá mbeadh an-chuid botún déanta ag an rang.

2. (Bris) _____ glas an dorais dá mbeifí ábalta.

3. (Cuir) _____ síol sa talamh dá mbeadh sé indéanta.

4. (Glan) _____ an seomra dá mbeadh sé ar oscailt.

5. (Féach) _____ ar na beithigh dá mbeidís sa ghort.

6. (Ól) _____ uisce dá mbeadh sé ar fáil.

7. (Scríobh) _____ ailt dheasa dá mbeadh ríomhaire ar fáil.

8. (Tóg) _____ teach nua dá mbeadh cead pleanála faighte.

9. (Éist) _____ leis an gclár dá mbeadh raidió ann.

10. (Stop) _____ an trácht dá mbeadh Garda ann.

Cleachtadh 15.22

Aistrigh na habairtí seo a leanas.

1. The ball would be thrown if there was a referee.

   _____

2. The lock would be broken if we had an axe.

   _____

3. Rules would apply if someone was in charge.

   _____

4. The border would be closed if Brexit happened.

   _____

5. The poet would be listened to if there was good broadband there.

   _____

6. The game would be watched if it was being televised.

   _____

7. The toilet would be cleaned if there were cleaners available.

   _____

8. The whiskey would be drunk if it was available.

   _____

9. The article would be written if someone could write it.

   _____

10. The room would be used if it was open.

   _____

An Dara Réimniú

Riail le foghlaim

Cuirtear **-ófaí** nó **-eofaí** le fréamh an bhriathair sa **Mhodh Coinníollach.**

Fréamh	Saorbhriathar Dearfach	Saorbhriathar Diúltach
aimsigh	d'aimseofaí	ní aimseofaí
bailigh	bhaileofaí	ní bhaileofaí
cabhraigh	chabhrófaí	ní chabhrófaí
ceannaigh	cheannófaí	ní cheannófaí
críochnaigh	chríochnófaí	ní chríochnófaí
éirigh	d'éireofaí	ní éireofaí
feabhsaigh	d'fheabhsófaí	ní fheabhsófaí
foghlaim	d'fhoghlaimeofaí	ní fhoghlaimeofaí
imir	d'imreofaí	ní imreofaí
oibrigh	d'oibreofaí	ní oibreofaí
oscail	d'osclófaí	ní osclófaí
roghnaigh	roghnófaí	ní roghnófaí
tosaigh	thosófaí	ní thosófaí

Cleachtadh 15.23

Cuir na briathra idir lúibíní sa Saorbhriathar.

1. (Críochnaigh) _____ leis an gceacht dá mbeadh an t-am istigh.

2. (Ceannaigh) _____ éadaí deasa sa siopa dá mbeadh sé oscailte.

3. (Feabhsaigh) _____ scileanna teanga dá mbeadh múinteoir ann.

4. (Foghlaim) _____ rudaí maithe dá mbeifí ag tabhairt airde.

5. (Roghnaigh) _____ captaen na foirne dá mbeadh an paineál ar fad ann.

6. (Tosaigh) _____ an cluiche dá mbeadh réiteoir ar fáil.

7. (Oibrigh) _____ go dian dá mbeadh éigeandáil ann.

8. (Oscail) _____ an doras dá mbeadh fear an tí ann.

9. (Imir) _____ cluiche boird dá mbeadh bord ar fáil.

10. (Feabhsaigh) _____ scileanna cumarsáide dá mbeifí ag tabhairt airde.

Cleachtadh 15.24

Aistrigh na habairtí seo a leanas.

1. The cattle would be gathered for the mart if there were people available to do the work.

2. Flowers would always be bought for people if there was kindness in the world.

3. New ideas would be learned in the class if the class could work in groups.

4. The best players would be chosen if the scouts were there.

5. The class would be started on time if the bell was working.

6. A lot of work would be finished today if there were people to do the work.

7. The gates would be opened for the lorries if there were people around.

8. The games would be played if the referee showed up.

9. Rules would be improved every year if the department reviewed them.

10. The people would be helped if there were people with experience available.

An Saorbhriathar san Aimsir Ghnáthchaite

Na Briathra Neamhrialta

Fréamh	Saorbhriathar Dearfach	Saorbhriathar Diúltach
abair	deirtí	ní deirtí
beir	bheirtí	ní bheirtí
bí	bhítí	ní bhítí
clois	chloistí	ní chloistí
déan	dhéantaí	ní dhéantaí
faigh	d'fhaightí	ní fhaightí
feic	d'fheictí	ní fheictí
ith	d'ití	ní ití
tabhair	thugtaí	ní thugtaí
tar	thagtaí	ní thagtaí
téigh	théití	ní théití

Cleachtadh 15.25

Cuir na briathra idir lúibíní sa Saorbhriathar.

1. (Abair) _____ an bhliain seo caite go mbeadh gach rud go maith.
2. (Beir) _____ ar gach liathróid sa chluiche anuraidh.
3. (Ith) _____ dea-bhia sa bhialann veigeatóireach arú anuraidh.
4. (Clois) _____ na ráflaí ar scoil an t-earrach seo caite.
5. (Faigh) _____ bróga spóirt nua sa siopa sin cúpla bliain ó shin.
6. (Tabhair) _____ airgead póca don chailín sin as a cuid oibre anuraidh.
7. (Tar) _____ go Gaillimh ó gach áit den domhan anuraidh.
8. (Feic) _____ go leor turasóirí in iarthar na tíre.
9. (Déan) _____ go leor ullmhúcháin don seó mór fadó.
10. (Bí) _____ ag súil le dea-aimsir na blianta ó shin.
11. (Téigh) _____ ag obair nuair a bhíodh postanna ann.

Cleachtadh 15.26

Aistrigh na habairtí seo a leanas.

1. It used to be said that life was good.

   _____

2. A lot of children used to be born.

   _____

3. Good food used to be eaten in the morning.

   _____

4. A lot of stories used to be heard.

   _____

5. Books used to be got for school.

   _____

6. A lot of homework used to be given.

   _____

7. People used to come from near and far.

   _____

8. A lot of football used to be seen in West Kerry.

   _____

9. The work used to be done.

   _____

10. They used to predict good weather.

    _____

11. They used to go to work when the work was available.

    _____

Na Briathra Rialta

An Chéad Réimniú

Riail le foghlaim

Cuirtear **–taí** nó **–tí** le fréamh an bhriathair san **Aimsir Ghnáthchaite.**

Fréamh	Saorbhriathar Dearfach	Saorbhriathar Diúltach
bris	bhristí	ní bhristí
caith	chaití	ní chaití
cuir	chuirtí	ní chuirtí
dún	dhúntaí	ní dhúntaí
éist	d'éistí	ní éistí
fan	d'fhantaí	ní fhantaí
féach	d'fhéachtaí	ní fhéachtaí
glan	ghlantaí	ní ghlantaí
ól	d'óltaí	ní óltaí
scríobh	scríobhtaí	ní scríobhtaí
stop	stoptaí	ní stoptaí
tóg	thógtaí	ní thógtaí
úsáid	d'úsáidtí	ní úsáidtí

Cleachtadh 15.27

Cuir na briathra idir lúibíní sa Saorbhriathar.

1. (Caith) _____ go dona le muintir na háite sin.

2. (Bris) _____ glas an dorais sin an samhradh seo caite.

3. (Cuir) _____ síolta sa talamh sin.

4. (Glan) _____ an scoil an bhliain seo caite.

5. (Féach) _____ ar an nuacht gach tráthnóna.

6. (Ól) _____ uisce úr i rith an tsamhraidh.

7. (Scríobh) _____ ailt mhaithe i bpáipéar na hollscoile anuraidh.

8. (Tóg) _____ tithe dheasa sa taobh sin den chontae.

9. (Éist) _____ leis na héin ag canadh san earrach anuraidh.

10. (Stop) _____ ag cur obair ar an bhfoirgneamh sin.

Cleachtadh 15.28

Aistrigh na habairtí seo a leanas.

1. The phone used to be broken.

2. The ball used to be thrown in that direction.

3. Rules used to be put in place.

4. The border used to be closed.

5. The poet used to be listened to.

6. The game used to be watched.

7. The toilet used to be cleaned.

8. The whiskey used to be drunk.

9. The article used to be written.

10. The room used to be used.

An Dara Réimniú

Riail le foghlaim

Cuirtear **-aítí** nó **-ítí** le fréamh an bhriathair san **Aimsir Ghnáthchaite**.

Fréamh	Saorbhriathar Dearfach	Saorbhriathar Diúltach
aimsigh	d'aimsítí	ní aimsítí
bailigh	bhailítí	ní bhailítí
cabhraigh	chabhraítí	ní chabhraítí
ceannaigh	cheannaítí	ní cheannaítí
críochnaigh	chríochnaítí	ní chríochnaítí
éirigh	d'éirítí	ní éirítí
feabhsaigh	d'fheabhsaítí	ní fheabhsaítí
foghlaim	d'fhoghlaimítí	ní fhoghlaimítí
imir	d'imrítí	ní imrítí
oibrigh	d'oibrítí	ní oibrítí
oscail	d'osclaítí	ní osclaítí
roghnaigh	roghnaítí	ní roghnaítí
tosaigh	thosaítí	ní thosaítí

Cleachtadh 15.29

Úsáid saorbhriathra na mbriathra idir lúibíní.

1. (Críochnaigh) _____ ag caint ráiméise.

2. (Ceannaigh) _____ éadaí deasa sa siopa sin an bhliain seo caite.

3. (Feabhsaigh) _____ a scileanna cumarsáide na blianta o shin.

4. (Foghlaim) _____ go leor rudaí sa rang sin fadó.

5. (Roghnaigh) _____ captaein mhaithe do na foirne.

6. (Tosaigh) _____ na cluichí go luath anuraidh.

7. (Oibrigh) _____ go dian an samhradh seo caite.

8. (Oscail) _____ doras an chlub oíche go luath anuraidh.

9. (Imir) _____ cluiche boird an geimhreadh seo caite.

10. (Bailigh) _____ go leor bruscair sa bhaile sin.

Cleachtadh 15.30

Aistrigh na habairtí seo a leanas.

1. The cattle used to be gathered for the mart.

   _____

2. Flowers used to be bought for people.

   _____

3. New ideas used to be learned in the class.

   _____

4. The best players used to be chosen.

   _____

5. The class used to be started on time.

   _____

6. A lot of work used to be finished.

   _____

7. The people used to be helped.

   _____

8. The games used to be played.

   _____

9. Rules used to be improved.

   _____

10. The gates used to be opened for the lorries.

   _____

Cleachtadh ar cheist na gramadaí don tSraith Shóisearach

Úsáid an Saorbhriathar san Aimsir Láithreach don chleachtadh seo.

(Bailigh) (1) na beithigh gach maidin. (Crúigh) (2) na beitigh sa bhleánlann. (Seol) (3) na beitigh amach chuig an bhféar arís. (Déan) (4) obair eile ar an bhfeirm i rith an lae. (Scuab) (5) na seideanna agus (glan) (6) an clós. Ina theannta sin, (cuir) (7) leasú glas ar na páirceanna.

Cleachtadh 15.31

1. _____
2. _____
3. _____
4. _____

5. _____
6. _____
7. _____

Cleachtadh ar cheist 6A don Ardteistiméireacht

Aimsigh an briathar saor san Aimsir Chaite, san Aimsir Láithreach agus san Aimsir Fháistineach sna hailt ó léamhthuiscintí na hArdteistiméireachta.

Taighde agus Taiscéalaíocht sa Spás

Ní fada anois go mbeifear ag comóradh ceann de na hócáidí is suntasaí i saol an chine dhaonna. Bhíothas ag dréim riamh leis an lá nuair a leagfadh duine daonna cos ar an ngealach. Sa deireadh thiar thall, ar an 20 Iúil 1969, shroich modúl gealaí an *Apollo* 11 an ghealach agus shiúil duine ar dhromchla na gealaí den chéad uair. An spásaire Meiriceánach, Neil Armstrong, a rinne an t-éacht ceannródaíoch sin. Meastar go raibh suas le sé chéad milliún duine ag féachaint ar na pictiúir a craoladh ar an teilifís ar fud an domhain an oíche stairiúil sin de Neil Armstrong ag siúl ar an ngealach. Ba é sin an lucht féachana ba mhó a bhí ag féachaint ar aon chraoladh beo go dtí sin. Cuimhneofar go deo ar na chéad fhocail a dúirt Neil Armstrong ar an ngealach: 'céim bheag amháin do dhuine aonair, léim ollmhór don chine daonna'. Bhí Buzz Aldrin in éineacht le Neil Armstrong. Chaith an bheirt fhear tamall ag bailiú samplaí den ithir ar an ngealach. Ansin d'fhill siad slán sábháilte abhaile sa spásárthach.

2019 Léamhthuiscint A

TG4 – Fiche Bliain ag Fás

Thosaigh Teilifís na Gaeilge ag craoladh ó Bhaile na hAbhann i gConamara ar Oíche Shamhna 1996. Céim mhór chun cinn don Ghaeilge ba ea bunú an stáisiúin. Den chéad uair riamh, bhí seirbhís iomlán teilifíse ar fáil sa Ghaeilge do phobal na Gaeltachta agus do lucht labhartha na Gaeilge trí chéile. Thug an tseirbhís nua seo deis do phobal na Gaeilge a gcuid scéalta féin a insint, agus siamsaíocht teilifíse a bheith acu, ina dteanga dhúchais féin. TG4 a thugtar ar an stáisiún anois agus ar Oíche Shamhna na bliana seo caite craoladh seó spleodrach speisialta ar TG4 chun fiche bliain de sheirbhís an stáisiúin a cheiliúradh. Beo ó phuball in Ollscoil na hÉireann, Gaillimh, a craoladh an clár agus bhí míreanna beo ann ó cheantair Ghaeltachta. Bhí aíonna éagsúla ar an gclár speisialta seo ag comhrá faoi bhunú an stáisiúin, faoin tábhacht atá leis an stáisiún agus faoina bhfuil i ndán don stáisiún sa todhchaí. Ba é 'Aistriú an Lóchrainn' téama an chláir speisialta seo. Bhí obair TG4 á samhlú le lóchrann nó le crann solais ag craobhscaoileadh an chultúir Ghaelaigh beo beathach ar fud an domhain.

2017 Léamhthuiscint B

Cleachtadh 15.32

1. _____
2. _____
3. _____

4. _____
5. _____
6. _____

Má, Dá agus Mura(r) sna hAimsirí/ Modhanna Éagsúla

- Uaireanta leanann an Aimsir Chaite agus an Aimsir Ghnáthchaite **má**.
- Uaireanta leanann an Aimsir Chaite agus an Aimsir Ghnáthchaite **mura/murar**.
- Leanann séimhiú **má**.

Má agus Mura(r) san Aimsir Chaite

Samplaí

- **Má** bhí sé ann, ní fhaca mé é.
- **Má** chuala mé an scéal, rinne mé dearmad air.
- **Mura** raibh beirt ann, bhí an áit folamh.
- **Mura** raibh tú sásta leis cén fáth ar ghlac tú leis?

Eisceachtaí

Abair	má dúirt	mura ndúirt
Déan	má rinne	mura ndearna
Bí	má bhí	mura raibh
Feic	má chonaic	mura bhfaca
Faigh	má fuair	mura bhfuair
Téigh	má chuaigh	mura ndeachaigh

Cleachtadh 16.1

Athraigh na focail idir lúibíní.

1. Má (bí) _____ sí ann, ní fhaca mé í.

2. Má (tarla) _____ an eachtra sin, caithfidh go bhfaca daoine í.

3. Má (téigh) _____ sé ar scoil, cén fáth nach raibh sé sa rang?

4. Má (tar) _____ sí go dtí an dioscó, níor labhair sí liom.

5. Má (clois) _____ sé an dea-scéal, cén fáth a raibh díomá air?

6. Má (bí) _____ an nuacht ar siúl, níor chuala mo dhaid é.

7. Mura (téigh) _____ sé ag an obair, ní haon ionadh é nach bhfuair sé a phá.

8. Mura (feic) _____ tú é, ní raibh sé ann.

9. Murar (cuir) _____ tú mo sparán ansin, cár chuir tú é?

10. Murar (siúil) _____ tú inné, cad a rinne tú?

Cleachtadh 16.2

Aistrigh na habairtí seo a leanas.

1. If the day was good, they went walking.

   _____

2. He went to the cinema, if his friends invited him.

   _____

3. If she did the work, she did well in her exams.

   _____

4. She went to the beach, if her friends were there.

   _____

5. If she saw her sister there, she saw her brother there as well.

   _____

6. If they went to the beach, they went swimming.

   _____

7. If I did not do the work, I did not do well in my exams.

   _____

8. If we ate good food, we felt well.

   _____

9. If you did that work, you did a good job.

   _____

10. If you ate that dinner, you were lucky.

   _____

Má agus Mura san Aimsir Láithreach agus san Aimsir Fháistineach

Seo na heisceachtaí: má **tá**, má **d**eir

Samplaí

- **Má** tá sé ann, ní fheicim é. (AL)
- **Mura d**taitníonn sé leat, cuir méar i do chluas. (AL)
- **Má** deir an dochtúir é, ní chloisfidh mé é. (AF)
- **Má** théann sé abhaile, íosfaidh sé a dhinnéar. (AF)

Cleachtadh 16.3

Athraigh na focail idir lúibíní.

1. Má (bí) _____ sí ann, ní fheicfidh mé í.
2. Má (tarla) _____ an eachtra sin, feicfidh daoine í.
3. Má (téigh) _____ sé ar scoil, beidh sé sa rang.
4. Má (tar) _____ sí go dtí an dioscó, ní labhróidh sí liom.
5. Má (clois) _____ sé an scéal, beidh díomá air.
6. Má (bí) _____ an nuacht ar siúl, féachfaidh mo dhaid air.
7. Má (déan) _____ sé a chuid obair bhaile, feicfidh mé é.
8. Mura (buail) _____ tú é, ní bheidh sé ag caoineadh.
9. Mura (cuir) _____ tú mo sparán ansin, ní bheidh sé agam.
10. Mura (siúil) _____ tú, rachaidh mé leat.

Cleachtadh 16.4

Aistrigh na habairtí seo a leanas.

1. If they are there, I do not see them. (AL)

   _____

2. If the weather is good, I feel good. (AL)

   _____

3. If the weather is bad, I feel bad. (AL)

   _____

4. If the band is good, we have a good time. (AL)

   _____

5. If you put the keys there, they will stay there. (AF)

   _____

6. If the day is good, we will be walking. (AF)

_____

_____

7. If the water is warm, he will go swimming. (AF)

_____

_____

8. If she does the work, she will do well in her exams. (AF)

_____

_____

9. If we do the training, we will be fit. (AF)

_____

10. If the cows are in the shed, they will be fed. (AF)

_____

Dá agus an Modh Coinníollach

Sa Mhodh Coinníollach uraítear briathra tar éis **go**, **dá** agus **mura**.

Samplaí

- Dá **gc**loisfinn an scéal sin, chabhróinn leo.
- Dá **mb**eadh soineann go Samhain bheadh breall ar dhuine éigin.
- Dá **n-ó**fladh sé tae, mhothódh sé ní b'fhearr.
- Mura **n-í**osfadh sí béile mór, ní bheadh sí tinn anois.
- Deirtear go **dt**iocfadh níos mó daltaí chuig an scoil seo dá mbeadh níos mó spáis ann.

Cleachtadh 16.5

Athraigh na focail idir lúibíní.

1. Bheadh gach duine ar buile, dá (bí) _____ na siopaí dúnta.

2. Dá (críochnaigh: mé) _____ an obair bhaile, ní bheinn i dtrioblóid anois.

3. Dá (codail) _____ sí go sámh, ní bheadh tinneas cinn uirthi anois.

4. Dá (fág: mé) _____ an teach in am, ní bheadh fadhb ar bith agam anois.

5. Mura (fan: mé) _____ amuigh faoin mbáisteach chomh fada sin, ní bheadh slaghdán orm anois.

6. Dá (féach: mé) _____ ar an nuacht, bheadh an t-eolas agam.

7. Dá (éist: mé) _____ leis an múinteoir, bheadh na freagraí ar eolas agam.

8. Mura (labhair: muid) _____ sa rang, ní bheimis i dtrioblóid anois.

9. Mura (caith) _____ sé a chóta sa bháisteach seo, bheadh slaghdán air.

10. Mura (déan) _____ sí a cuid obair bhaile, bheadh an múinteoir crosta léi.

Cleachtadh 16.6

Aistrigh na habairtí seo a leanas.

1. If the day was good, we would go walking.

   _____

2. He would go to the cinema, if his friends invited him.

   _____

3. If she did the work, she would do well in her exams.

   _____

4. If I did the work, I would do well in my exams.

   _____

5. If she saw her sister there, she would see her brother there as well.

   _____

6. If they were on the beach, they would go swimming.

   _____

   _____

7. If we ate good food, we would feel well.

   _____

   _____

8. If you did that work, you would get a good job.

   _____

9. If I had not saved money for college, I would be poor now.

   _____

10. If they did not win the match, they would not go out.

   _____

17 An tAinm Briathartha

Leanann an tAinm Briathartha (*the verbal noun*) **ag** go hiondúil; mar shampla: **ag** scríobh, **ag** déanamh, **ag** obair, **ag** bualadh, **ag** foghlaim, **ag** caint, **ag** cleachtadh.

Rialacha le foghlaim

- Úsáidtear **ag** leis an Ainm Briathartha nuair atá gníomh leanúnach i gceist mar shampla: **ag** scríobh, **ag** déanamh, **ag** obair agus **ag** tabhairt.

- Usáidtear **a** roimh an ainm briathartha nuair a bhíonn cuspóir díreach i gceist. Cuirtear séimhiú ar an ainm briathartha ina dhiaidh mar shampla: ba mhaith liom milseán **a** **ch**eannach. Ar mhaith leat an áit **a** **fh**ágáil?

- Ní úsáidtear ag ná a nuair nach mbíonn cuspóir díreach san abairt, mar shampla: ba mhaith liom dul amach, ar mhaith leat dul amach?

Na Briathra Rialta

An Chéad Réimniú

- Cuirtear an deireadh **-adh** nó **-eadh** le fréamh de fhórmhór na mbriathra sa Chéad Réimniú.

- Cuirtear an deireadh **-t** le fréamh briathra áirithe sa chéad réimniú; mar shampla: ag bain**t**, ag féachain**t**, ag taispeáin**t**.

Briathar	Ainm Briathartha	Briathar	Ainm Briathartha
bain	baint	glan	glanadh
braith	brath	goid	goid
buail	bualadh	íoc	íoc
caill	cailleadh	ól	ól
caith	caitheamh	pós	pósadh
can	canadh	rith	rith
cas	casadh	scríobh	scríobh
coiméad	coiméad	seinn	seinm

Briathar	Ainm Briathartha	Briathar	Ainm Briathartha
cuir	cur	siúil	siúl
dún	dúnadh	taispeáin	taispeáint
fág	fágáil	tit	titim
fan	fanacht	tóg	tógáil
féach	féachaint	úsáid	úsáid

Briathra a críochnaíonn ar -igh sa Chéad Réimniú

Briathar	Ainm Briathartha
báigh	bá
buaigh	buachan
dóigh	dó
fuaigh	fuáil
glaoigh	glaoch
léigh	léamh
nigh	ní
pléigh	plé
suigh	suí

Cleachtadh 17.1

Scríobh an tAinm Briathartha in aice na mbriathra thíos.

1. Bain _____
2. Braith _____
3. Buaigh _____
4. Caith _____
5. Can _____

6. Cas _____
7. Cuir _____
8. Dún _____
9. Fág _____
10. Féach _____

Cleachtadh 17.2

Scríobh an tAinm Briathartha in aice na mbriathra thíos.

1. Glan _____
2. Léigh _____
3. Ól _____
4. Rith _____
5. Scríobh _____

6. Seinn _____
7. Suigh _____
8. Taispeáin _____
9. Tóg _____
10. Úsáid _____

Cleachtadh 17.3

Athraigh na focail idir lúibíní.

1. Bhí an garraíodóir ag (bain) _____ an fhéir sa ghairdín.

2. Beidh mé ag (caith) _____ m'éadaí nua amárach.

3. Dúirt siad liom go raibh siad chun an scoil a (fág) _____.

4. An bhfuil tú chun an doras sin a (dún) _____?

5. Táimid chun an seomra a (glan) _____ ó bhun go barr anois.

6. Dúirt siad liom go mbeidís ag (taispeáin) _____ a gcuid ealaíne dúinn.

7. Beidh sí ag (seinn) _____ a cuid ceoil dúinn um thráthnóna.

8. Tiocfaidh siad chun na beithigh a (tóg) _____ Dé Sathairn.

9. Beimid ag (úsáid) _____ na sliotar sin don traenáil.

10. Beidh mé ag (scríobh) _____ mo leabhair Dé Domhnaigh.

An Dara Réimniú

Cuirtear an deireadh **-ú** nó **-t** le fréamh briathra áirithe sa dara réimniú; mar shampla: ag moth**ú**, ag labhair**t**.

Briathar	Ainm Briathartha	Briathar	Ainm Briathartha
admhaigh	admháil	foghlaim	foghlaim
aistrigh	aistriú	freagair	freagairt
breathnaigh	breathnú	gortaigh	gortú
bunaigh	bunú	imigh	imeacht
cabhraigh	cabhrú	imir	imirt
ceannaigh	ceannach	inis	insint
coinnigh	coinneáil	labhair	labhairt
cosain	cosaint	luigh	luí
críochnaigh	críochnú	oscail	oscailt
cuardaigh	cuardach	roghnaigh	roghnú

Briathar	Ainm Briathartha	Briathar	Ainm Briathartha
diúltaigh	diúltú	smaoinigh	smaoineamh
éirigh	éirí	tarraing	tarraingt
eitil	eitilt	tosaigh	tosnú/tosú

Cleachtadh 17.4

Scríobh an tAinm Briathartha in aice na mbriathra thíos.

1. Aistrigh _____
2. Breathnaigh _____
3. Cabhraigh _____
4. Ceannaigh _____
5. Cosain _____
6. Críochnaigh _____
7. Cuardaigh _____
8. Diúltaigh _____
9. Éirigh _____
10. Eitil _____

Cleachtadh 17.5

Scríobh an tAinm Briathartha in aice na mbriathra thíos.

1. Foghlaim _____
2. Gortaigh _____
3. Imigh _____
4. Imir _____
5. Inis _____
6. Labhair _____
7. Roghnaigh _____
8. Seas _____
9. Smaoinigh _____
10. Tosaigh _____

Cleachtadh 17.6

Athraigh na focail idir lúibíní.

1. Dúirt sé go mbeadh air an scannán a (críochnaigh) _____.
2. Bhí mé ag (cuardaigh) _____ mo mhála.
3. Ní raibh siad in ann aon rud a (foghlaim) _____ sa rang.
4. Bhíomar ag (seas) _____ sa scuaine ar feadh dhá uair an chloig.
5. Táim ag (smaoinigh) _____ ar phlean don rang.
6. An bhfuil tú chun an cluiche a (tosaigh) _____?
7. Beidh mé ag (cabhraigh) _____ leis an bhfeirmeoir ar a fheirm amárach.
8. An bhfuil siad chun (diúltaigh) _____ don tairiscint sin?
9. Beimid ag (ceannaigh) _____ éadaí nua sa siopa Dé hAoine.
10. Ní raibh mé ag (imir) _____ sa chluiche camógaíochta inné.

Na Briathra Neamhrialta

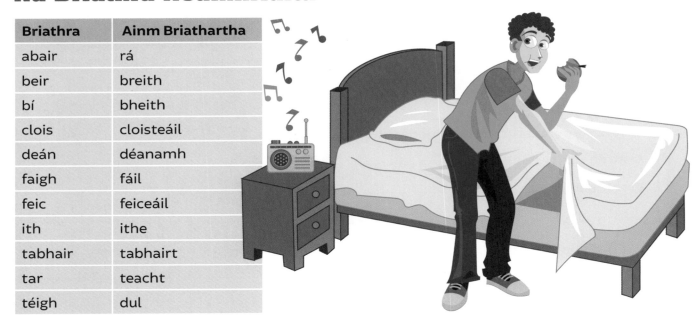

Briathra	Ainm Briathartha
abair	rá
beir	breith
bí	bheith
clois	cloisteáil
deán	déanamh
faigh	fáil
feic	feiceáil
ith	ithe
tabhair	tabhairt
tar	teacht
téigh	dul

Cleachtadh 17.7

Scríobh an tAinm Briathartha in aice na mbriathra thíos.

1. Abair _____

2. Beir _____

3. Bí _____

4. Clois _____

5. Deán _____

6. Faigh _____

7. Feic _____

8. Ith _____

9. Tabhair _____

10. Tar _____

11. Téigh _____

Cleachtadh 17.8

Athraigh na focail idir lúibíní.

1. Dúirt sí liom dul go raibh sí chun gach rud a (abair) _____ léi.

2. Bhí sé ag (beir) _____ ar liathróid i rith an chluiche.

3. Tá sé tábhachtach a (bí) _____ ar aire maidir leis an mbóthar.

4. Ar chuala tú go raibh an raidió le (clois) _____ san ospidéal?

5. Ní bheidh siad ag (déan) _____ na hoibre sin.

6. An mbeidh tú ag (faigh) _____ carr nua?

7. Chuala mé go raibh sé chun an scannán sin a (feic) _____.

8. An raibh tú ag (ith) _____ an cheapaire sin?

9. Bhí an léachtóir staire ag (tabhair) _____ léachta sa léachtlann.

10. An mbeidh tú ag (tar) _____ abhaile?

11. Táim chun (téigh) _____ abhaile don deireadh seachtaine.

Cleachtadh ar cheist na gramadaí don tSraith Shóisearach

Athraigh na focail idir lúibíní.

Bhí gach duine ag (éist) (1) go géar leis an múinteoir sa rang. Thosaigh mé féin agus mo chara ag (labhair) (2) lena chéile sa rang. Dúirt mo chara liom go raibh sé ag (féach) (3) ar an teilifís an oíche roimhe sin. Ansin, shiúil an múinteoir inár dtreo agus thosaigh sé ag (sín) (4) a mhéire. Chuir sé ceist orainn cad a bhí á (déanamh) (5) againn. Dúramar go rabhamar ag (labhair) (6) mar gheall ar chluiche a bhí ar siúl aréir. Dúirt an múinteoir linn a bheith ciúin sa rang.

Cleachtadh 17.9

1. _____ 4. _____
2. _____ 5. _____
3. _____ 6. _____

Cleachtadh ar cheist 6A don Ardteistiméireacht

Aimsigh an tAinm Briathartha sna hailt ó léamthuiscintí na hArdteistiméireachta.

Athrú Aeráide: Fadhb Mhór ár Linne

In alt san iris *The Yale Review* sa bhliain 1933, scríobh an t-eacnamaí clúiteach John Maynard Keynes go raibh an cine daonna ag scriosadh áilleacht an dúlra toisc nach raibh aon luach airgid ag baint leis an áilleacht sin. Tugadh an chluas bhodhar don rabhadh sin, go háirithe sna blianta tar éis an Dara Cogadh Domhanda. Tháinig borradh faoin tionsclaíocht sa domhan forbartha sna blianta sin. D'éirigh na monarchana níos mó agus sceitheadh níos mó ábhar díobhálach san aer. Ba bheag cosaint a bhí ann don dúlra. Ba léir sula i bhfad go raibh an fás geilleagrach seo agus gníomhaíocht an chine dhaonna ag dul i bhfeidhm go mór ar an gcomhshaol. Faoi lár na 1970idí, tuigeadh do chuid mhór daoine go raibh fadhbanna ag teacht chun cinn agus gur ghá aghaidh a thabhairt orthu. Thosaigh eolaithe ag ardú ceisteanna faoin tionchar a bhí ag forbairt na tionsclaíochta ar chúrsaí aimsire. Bhí siad ag fiafraí conas is féidir forbairt thionsclaíoch a dhéanamh sa saol seo gan an domhan féin a chur i mbaol. Sa bhliain 1987, d'fhoilsigh na Náisiúin Aontaithe tuairimí agus argóintí a lán eolaithe faoin athrú aeráide i dtuarascáil dar teideal *Ár dTodhchaí Chomónta.*

2016 Léamhthuiscint B

Cruachás na nDaoine gan Dídean

Is iomaí cúis atá leis na daoine seo a bheith gan dídean. Sa teaghlach féin a thosaíonn an fhadhb uaireanta: titeann daoine amach lena muintir, teipeann ar chleamhnas nó ar phósadh, b'fhéidir go mbíonn foréigean ann, agus fágann duine an baile. Uaireanta eile, tarlaíonn eachtra thubaisteach gan choinne. Cailleann duine a phost, agus bíonn fadhbanna airgid ann dá bharr sin. Uaireanta bíonn meabhairghalar ar dhuine, agus titeann an saol as a chéile cheal seirbhísí a chabhródh leis. Bíonn fadhbanna drugaí nó alcóil ag cuid de na daoine. Tá an scéal ag dul in olcas ó thosaigh an ghéarchéim sa gheilleagar. Tá go leor teaghlach ann anois nach bhfuil an teacht isteach acu a thuilleadh chun an morgáiste nó an cíos a íoc, agus tá dídean éigeandála de dhíth ar an teaghlach iomlán. Níl go leor tithe ná leapacha ann san am i láthair le freastal ar gach duine a bhfuil dídean éigeandála uaidh.

2015 Léamhthuiscint B

Cleachtadh 17.10

1. _____ 3. _____
2. _____ 4. _____

An Aidiacht Bhriathartha

- Tugann an Aidiacht Bhriathartha (*the verbal adjective*) eolas dúinn ar an gcaoi a bhfuil duine nó rud tar éis an ghnímh; mar shampla: tá an doras dún**ta**; tá an bia it**e**; tá an t-eolas foghlam**tha** aici.

- Cuirtear **-a**, **-e**, **-ta**, **-te**, **-tha**, **-the** nó **-fa** le fréamh an bhriathair leis an Aidiacht Bhriathartha a chumadh; mar shampla: cleacht**a**, scoil**te**, las**ta**, cait**e**, cur**tha**, beir**the**, scrí**ofa**.

- Tá Aidiachtaí Briathartha neamhrialta ann agus ní leanann siad patrún ar bith; mar shampla: abair – ráite, tar – tagtha.

Na Briathra Rialta

An Chéad Réimniú

Briathar	Ainm Briathartha	Briathar	Ainm Briathartha
bain	bainte	glan	glanta
braith	braite	goid	goidte
buail	buailte	íoc	íoctha
caill	caillte	ól	ólta
caith	caite	pós	pósta
can	canta	rith	rite
cas	casta	scríobh	scríofa
coimeád	coimeádta	seinn	seinnte
cuir	curtha	siúil	siúlta
dún	dúnta	taispeáin	taispeánta
fág	fágtha	tit	tite
fan	fanta	tóg	tógtha
féach	feicthe	úsáid	úsáidte

Ag críochnú ar -igh sa Chéad Réimniú

Briathar	Ainm Briathartha
báigh	báite
buaigh	buaite
dóigh	dóite
fuaigh	fuaite
glaoigh	glaoite
léigh	léite
nigh	nite
pléigh	pléite
suigh	suite

Cleachtadh 18.1

Scríobh an Aidiacht Bhriathartha in aice na mbriathra thíos.

1. Bain _____
2. Braith _____
3. Buaigh _____
4. Caith _____
5. Can _____

6. Cas _____
7. Cuir _____
8. Dún _____
9. Fág _____
10. Féach _____

Cleachtadh 18.2

Scríobh an Aidiacht Bhriathartha in aice na mbriathra thíos.

1. Glan _____
2. Léigh _____
3. Ól _____
4. Rith _____
5. Scríobh _____

6. Seinn _____
7. Suigh _____
8. Taispeáin _____
9. Tóg _____
10. Úsáid _____

Cleachtadh 18.3

Athraigh na focail idir lúibíní.

1. Bhí an buachaill óg (caill) _____ sa choill.

2. Caithfidh mé a admháil go raibh an scrúdú (cas) _____ go maith.

3. Ar chuala tú go raibh an siopa sin (dún) _____ anois?

4. Dúirt sí liom go bhfuil a cuid airgid ar fad (caith) _____ aici.

5. Tá na seomraí go léir (tóg) _____ faoin am seo.

6. Cá bhfuil do theach (suí) _____?

7. Tá a rás (rith) _____ anois.

8. Sílim go bhfuil gach rud (plé) _____ ag an rialtas.

9. An bhfuil an nuachtán (léigh) _____ agat?

10. An bhfuil an leabhar sin (scríobh) _____ aici go fóill?

An Dara Réimniú

Briathar	Ainm Briathartha	Briathar	Ainm Briathartha
admhaigh	admhaithe	foghlaim	foghlamtha
aistrigh	aistrithe	freagair	freagartha
breathnaigh	breathnaithe	gortaigh	gortaithe
bunaigh	bunaithe	imigh	imithe
cabhraigh	cabhraithe	imir	imeartha
ceannaigh	ceannaithe	inis	inste
coinnigh	coinnithe	labhair	labhartha
cosain	cosanta	luigh	luite
críochnaigh	críochnaithe	oscail	oscailte
cuardaigh	cuardaithe	roghnaigh	roghnaithe
diúltaigh	diúltaithe	smaoinigh	smaointe
éirigh	éirithe	tarraing	tarraingte
eitil	eitilte	tosaigh	tosaithe

Cleachtadh 18.4

Scríobh an Aidiacht Bhriathartha in aice na mbriathra thíos.

1. Aistrigh _____

2. Breathnaigh _____

3. Cabhraigh _____

4. Ceannaigh _____

5. Críochnaigh _____

6. Cuardaigh _____

7. Diúltaigh _____

8. Éirigh _____

9. Eitilt _____

10. Freagair _____

Cleachtadh 18.5

Scríobh an Aidiacht Bhriathartha in aice na mbriathra thíos.

1. Foghlaim _____
2. Gortaigh _____
3. Imigh _____
4. Imir _____
5. Inis _____

6. Labhair _____
7. Roghnaigh _____
8. Smaoinigh _____
9. Tarraing _____
10. Tosaigh _____

Cleachtadh 18.6

Athraigh na focail idir lúibíní.

1. An bhfuil an bróga nua (ceannaigh) _____ aici?
2. Tá siad (éirigh) _____ ón a naoi a chlog.
3. Tá na freagraí sin (freagair) _____ acu anois.
4. Tá an fhoireann (roghnaigh) _____ don deireadh seachtaine.
5. Chuala mé go bhfuil sí (gortaigh) _____ don chluiche.
6. An bhfuil an cháipéis sin (aistrigh) _____ agat go fóill?
7. Tá sé sin (cuardaigh) _____ ag na Gardaí.
8. Tá an cluiche sin (imir) _____, chríochnaigh sé ar a naoi a chlog.
9. An bhfuil an cruinniú (tosaigh) _____ faoin am seo?
10. Tá an scéal (inis) _____ aige anois.

Na Briathra Neamhrialta

Briathar	Ainm Briathartha
abair	ráite
beir	beirthe
bí	beite
clois	cloiste
déan	déanta
faigh	faighte
feic	feicthe
ith	ite
tabhair	tugtha
tar	tagtha
téigh	dulta

Cleachtadh 18.7

Scríobh an Aidiacht Bhriathartha in aice na mbriathra thíos.

1. Abair _____
2. Beir _____
3. Bí _____
4. Clois _____
5. Déan _____
6. Faigh _____

7. Feic _____
8. Ith _____
9. Tabhair _____
10. Tar _____
11. Téigh _____

Cleachtadh 18.8

Athraigh na focail idir lúibíní.

1. Tá sé (abair) _____ go paiteanta agat.
2. Beifear (beir) _____ nó
    caillte leis.
3. Is (bí) _____ do dhuine Dia
    a ghuí.
4. Tá an nuacht is déanaí faoin bhfoireann (clois)
    _____ agam.
5. An bhfuil a hobair bhaile (déan)
    _____ aici anois?
6. Tá do chion (faigh) _____ agat.
7. Tá an fear sin (feic) _____ agam áit éigin cheana.
8. An bhfuil bhur ndinnéar (ith) _____ agaibh?
9. Tá an t-airgead (tabhair) _____ agam dóibh.
10. Tá a chairde ar fad (tar) _____ chuig an gcóisir.
11. Tá na hÉireannaigh, (téigh) _____ i dtaithí ar an nós seo.

Cleachtadh ar cheist na gramadaí don tSraith Shóisearach

Athraigh na focail idir lúibíní.

Tá mo leabhair (ceannaigh) (1) agam don scoilbhliain nua. Dúirt cara liom go bhfuil an leabhar don rang Béarla (léigh) (2) aici. Ní chreidim go bhfuil sé sin (déan) (3) aici. Níl obair ar bith (cuir) (4) isteach agam faoin am seo. Ba cheart go mbeinn (tosaigh) (5) anois. Tá go leor cluichí camógaíochta (imir) (6) agam agus táim ag tnúth go mór le bheith ar ais ag traenáil le foireann chamógaíochta na scoile.

Cleachtadh 18.9

1. _____

2. _____

3. _____

4. _____

5. _____

6. _____

Cleachtadh ar cheist 6A don Ardteistiméireacht

Aimsigh an Aidiacht Bhriathartha sna hailt ó léamhthuiscintí na hArdteistiméireachta.

Athrú Aeráide: Fadhb Mhór ár linne

Chonaic mé clár spéisiúil faoin gcomhshaol ar an teilifís le déanaí. Bhí eolaí cáiliúil ag cur síos ar na hathruithe atá tar éis tarlú sa réigiún Artach le caoga bliain anuas. Tá an teocht ag ardú ann agus an leac oighir ag leá dá bharr. Ceaptar go mbeidh iomlán an mhachaire leac oighir san Artach leáite faoi lár na haoise seo. Is tubaiste don dúlra na hathruithe seo, go háirithe don bhéar bán a chónaíonn sa réigiún. Dhírigh an clár seo ar chás an bhéir bháin. Is minic a bhíonn air a shaol a chur i mbaol chun teacht ar bhia atá ag éirí gann. Chonacthas an béar sa chlár ina sheasamh ar aill chúng ag faire ar a sheans chun breith ar bhia ón uisce. Tuigimid go léir faoin am seo go bhfuil athruithe suntasacha tagtha ar chúrsaí aimsire, ní hamháin sa réigiún Artach, ach ar fud an domhain. Is é an t-athrú aeráide an dúshlán is mó atá roimh an gcine daonna faoi láthair. Ní haon ionadh mar sin go bhfuil na téarmaí "athrú aeráide", "téamh domhanda" agus "forbairt inbhuanaithe" le cloisteáil go minic na laethanta seo.

2016 Léamhthuiscint B

Steve Jobs: Fiontraí agus Fealsamh

Is mar gheall ar an stíl bhainistíochta a bhí aige a d'éirigh chomh maith sin leis na comhlachtaí a bhunaigh Steve Jobs. D'fhéach sé chuige i gcónaí gur fostaíodh na daoine ba stuama agus ab inniúla. Chinntigh sé go mbeadh na hoibrithe ab fhearr sa chomhlacht scaipthe thart ar na rannóga éagsúla. D'eagraíodh sé ócáid bhliantúil do na hoibrithe seo. Chuireadh sé straitéis na bliana os a gcomhair agus lorgaíodh sé aiseolas uathu. Bhí nós aige cruinniú a thionól leo gach maidin Luain. Fóram a bhí sa chruinniú seo chun iniúchadh a dhéanamh ar ghnó an chomhlachta agus le cinntí a dhéanamh. Thuig na hoibrithe seo go raibh stádas ar leith acu i súile Jobs agus an chomhlachta. Fear mór gnímh ba ea Jobs a bhí i gcónaí ar thóir na nuálaíochta, ach cainteoir cumasach agus fear maith cumarsáide ba ea é chomh maith. Ba bhreá le Jobs óráidí a thabhairt chun poiblíocht a fháil do na fiontair éagsúla a bhí idir lámha aige.

2013 Léamhthuiscint A

Cleachtadh 18.10

1. _____

2. _____

Na Tuisil

Tá na Tuisil seo a leanas ag an Ainmfhocal sa Ghaeilge:

- **An Tuiseal Gairmeach:** nuair a bhítear ag caint le duine, úsáidtear An Tuiseal Gairmeach; mar shampla: A Shíle, A Sheáin, A Thomáis, A Mhíchíl, A Áine.

- **An Tuiseal Ainmneach:** bíonn Ainmfhocal nó forainm sa Tuiseal Ainmneach nuair atá sé ina ainmní ag briathar; mar shampla: Chuaigh **Áine** go dtí an teach tábhairne aréir, tá **an fear** seo chun obair a dhéanamh.

- **Tuiseal Cuspóireach:** nuair a bhíonn Ainmfhocal ina chuspóir san abairt; mar shampla: ghlan mé **an seomra**, chuir mé **an peann** i mo mhála.

- **Tuiseal Ginideach:** bíonn Ainmfhocal sa Tuiseal Ginideach nuair a thagann dhá Ainmfhocal i ndiaidh a chéile agus ceangal eatarthu; mar shampla: muintir **Sh**eáin. Cuireann an Ginideach seilbh in iúl freisin; mar shampla: bróga **Sh**iobhá**n**. Úsáidtear i ndiaidh an ainm bhriathartha é; mar shampla: ag bualadh an dora**is**. Úsáidtear freisin é nuair a bhíonn Réamhfhocal comhshuite in úsáid; mar shampla: ar fud an domha**in**.

- **Tuiseal Tabharthach:** bíonn Ainmfhocal sa Tuiseal Tabharthach nuair a bhíonn réamhfhocal simplí leis an alt nó gan an alt; mar shampla: ar an **m**bord, ag an **m**bean, le Seán.

An tAinmfhocal: Baininscneach agus Firinscneach

An t-alt roimh an Ainmfhocal sa Tuiseal Ainmneach agus sa Tuiseal Cuspóireach uatha:

	Firinscneach	Baininscneach
Ainmfhocail dar tús guta	an **t-á**bhar	an abairt
	an **t-ú**dar	an iarracht
Ainmfhocail dar tús consan	an bóthar	an **bh**ean
	an leibhéal	an **fh**orbairt
Ainmfhocail dar tús **s**	an sagart	an **ts**ráid
	an siopa	an **ts**rón
Ainmfhocail dar tús **d** nó **t**	an duine	an duais
	an tiománaí	an trá

Cleachtadh 19.1

Cuir an t-alt roimh na hAinmfhocail seo agus athraigh iad más gá.

1. Agallamh (fir.) _____
2. Litríocht (bain.) _____
3. Neodracht (bain.) _____
4. Ceardlann (bain.) _____
5. Forbairt (bain.) _____

6. Piseog (bain.) _____
7. Múinteoir (fir.) _____
8. Urraíocht (bain.) _____
9. Leabhar (fir.) _____
10. Saoirse (bain.) _____

Cleachtadh 19.2

Cuir an t-alt roimh na hAinmfhocail seo agus athraigh iad más gá.

1. Srón (bain.) _____
2. Siúr (bain.) _____
3. Bean (bain.) _____
4. Séipéal (fir.) _____
5. Taoiseach (fir.) _____

6. Cnoc (fir.) _____
7. Uisce (fir.) _____
8. Arán (fir.) _____
9. Iodáil (bain.) _____
10. Eolaí (fir.) _____

Firinscneach

Rialacha le foghlaim

- Má chríochnaíonn Ainmfhocal ar –**án**, bíonn sé firinscneach; mar shampla: ar**án**, amad**án**, cam**án** agus brad**án**.

- Má chríochnaíonn Ainmfhocal ar –**ín**, bíonn sé firinscneach; mar shampla: cail**ín**, toit**ín**, coin**ín**, nóin**ín** agus sic**ín**.

- Má chríochnaíonn Ainmfhocal ar ghuta bíonn sé firinscneach de ghnáth; mar shampla: fil**e**, hat**a**, p**á**, rúna**í** agus uisc**e**.

- Má chríochnaíonn Ainmfhocal ar chonsan leathan, tá seans maith ann go bhfuil sé firinscneach; mar shampla: cléireach, leithreas, oifigeach agus fathach.

- Má chríochnaíonn Ainmfhocal ar –(**e**)**acht** agus siolla amháin san fhocal; mar shampla: **ceacht**, sm**acht**, **éacht**, r**acht** agus fu**acht**, bíonn sé firinscneach.

- Má chríochnaíonn Ainmfhocal ar –**eoir**/–**óir**/–**éir**/–**úir** agus nuair a bhíonn gairm bheatha i gceist; mar shampla: docht**úir**, meicn**eoir**, innealt**óir**, feirm**eoir** agus múint**eoir**, bíonn sé firinscneach.

Baininscneach

Rialacha le foghlaim

- Má chríochnaíonn Ainmfhocal ar chonsan caol, tá seans maith ann go bhfuil sé baininscneach; mar shampla: páirc, scoil, litir, Cáisc agus teilifís.

- Má chríochnaíonn Ainmfhocal ar –(e)**acht** agus níos mó ná siolla amháin ann; mar shampla: Gael**tacht**, cumh**acht** agus éif**eacht**.

- Má chríochnaíonn Ainmfhocal ar –(a)**íocht**, bíonn sé baininscneach; mar shampla: iomán**aíocht**, tíreol**aíocht**, fil**íocht** agus cleas**aíocht**.

- Má chríochnaíonn Ainmfhocal ar –**eog** nó –**óg**, bíonn sé baininscneach; mar shampla: báb**óg**, fuinn**eog**, br**óg** agus spid**eog**.

- Má chríochnaíonn Ainmfhocal ar –**lann**, bíonn sé baininscneach; mar shampla: leabhar**lann**, pictiúr**lann** agus amharc**lann**.

- Tá tromlach na dtíortha agus iomlán na dteangacha (seachas **Béarla**) baininscneach: mar shampla: An Iodáil, An Eilvéis, An Iorua, An tSeapáin, An Spáinn, An Ghearmáin agus na teangacha: An Spáinnis, An Ghaeilge, An Iodáilis, srl.

Cleachtadh 19.3

Cuir an t-alt roimh na hAinmfhocail seo agus athraigh iad más gá.

1. Eitilt (bain.) _____
2. Áibhéil (bain.) _____
3. Bialann (bain.) _____
4. Barúil (bain.) _____
5. Éabhlóid (bain.) _____

6. Uirlis (bain.) _____
7. Gairm (bain.) _____
8. Anáil (bain.) _____
9. Conclúid (bain.) _____
10. Próifíl (bain.) _____

Cleachtadh 19.4

Cuir an t-alt roimh na hAinmfhocail seo agus athraigh iad más gá.

1. Iascaire (fir.) _____
2. Asal (fir.) _____
3. Iarratas (fir.) _____
4. Cosán (fir.) _____
5. Ceo (fir.) _____
6. Múinteoir (fir.) _____
7. Ambasadóir (fir.) _____
8. Saighdiúir (fir.) _____
9. Botún (fir.) _____
10. Athrú (fir.) _____

Cleachtadh 19.5

Cuir an t-alt roimh na hAinmfhocail seo agus athraigh iad más gá. An t-am seo bí ag smaoineamh ar an inscne a bhaineann leo.

1. Baile _____
2. Rás _____
3. Eaglais _____
4. Uaigneas _____
5. Tuaisceart _____

6. Aoi _____
7. Contae _____
8. Dílseacht _____
9. Ceist _____
10. Ospidéal _____

Cleachtadh 19.6

Cuir an t-alt roimh na hAinmfhocail seo agus athraigh iad más gá. An t-am seo bí ag smaoineamh ar an inscne a bhaineann leo.

1. Conradh_____
2. Béar _____
3. Éacht _____
4. Creidiúint _____
5. Cearnóg _____

6. Oiliúint _____
7. Gearmáinis _____
8. Cogadh _____
9. Meánscoil _____
10. Ticéad _____

Cleachtadh 19.7

Cuir an t-alt roimh na hAinmfhocail seo agus athraigh iad más gá. An t-am seo bí ag smaoineamh ar an inscne a bhaineann leo.

1. Baintreach _____
2. Tóin _____
3. Aimsir _____
4. Othar _____
5. Roinn _____

6. Fiacail _____
7. Seoid _____
8. Ubh _____
9. Téad _____
10. Monarcha _____

Cleachtadh 19.8

Cuir an t-alt roimh na hAinmfhocail seo agus athraigh iad más gá. An t-am seo bí ag smaoineamh ar an inscne a bhaineann leo.

1. Filíocht _____
2. Fuinneog _____
3. Meánscoil _____
4. Sráidbhaile _____
5. Íomhá _____

6. Cláirseach _____
7. Ollamh _____
8. Cistin _____
9. Síleáil _____
10. Féile _____

Iolra an Ainmfhocail

Tá dhá chineál Iolra sa Ghaeilge – **lagiolra** agus **tréaniolra**.

Is **lagiolra** é:

- iolra a ndéantar caolú air san ainmneach iolra, mar shampla: capaill (capall), báid (bád), sagairt (sagart), marcaigh (marcach)
- iolra a chumtar trí -a a chur leis an ainmneach uatha; mar shampla: úlla (úll), bruacha (bruach), fuinneoga (fuinneog), cosa (cos).

An Ginideach Iolra agus an Lagiolra

De ghnáth, i gcás lagiolra is ionann foirceann (*ending*) an ainmfhocail sa Ghinideach Iolra agus foirceann an ainmfhocail san Ainmneach Uatha, mar shampla: tithe sagart (*priests' houses*), rásanna capall (*horse races*), scuaine éan, dallóga fuinneog.

Is **tréaniolra** atá i gceist sna cásanna seo a leanas:

- Nuair a bhíonn coimriú i gceist; mar shampla: bóithre (bóthar), briathra (briathar), gamhna (gamhain), litreacha (litir), cathracha (cathair)
- Nuair a bhíonn athrú guta i gcest; mar shampla: ceall (cill), sceana (scian), aibhneacha (abhainn)
- Nuair a chuirtear -í, -ta, -te, -tha, -(e)acha, (e)anna, -úna leis an ainmneach uatha; mar shampla: feirmeoirí (feirmeoir), bearnaí (bearna), scéalta (scéal), coillte (coill), glórtha (glór), craobhacha (craobh), áiteanna (áit), ceathrúna (ceathrú).

An Ginideach Iolra agus an Tréaniolra

I gcás tréaniolra, is ionann foirceann an ainmfhocail sa Ghinideach Iolra agus foirceann an ainmfhocail san Ainmneach **Iolra**.

Urú tar éis an Ailt sa Ghinideach Iolra

Bíonn urú tar éis an ailt sa Ghinideach Iolra i gcás lagiolraí agus tréaniolraí, mar shampla: seolta na mbád, ceol na n-éan, siúl na gcos, eireabaill na gcapall, obair na bhfeirmeoirí, ag foghlaim na gceachtanna, daonra na gcathracha.

Foirceann na nAinmfhocal sa Tuiseal Ainmneach Iolra

Tá roinnt bealaí ann chun Ainmfhocal a chur san uimhir iolra, mar shampla:

- Cuirtear -a leis an uimhir uatha; mar shampla: na húlla.
- Cuirtear -ta leis an uimhir uatha; mar shampla: na dánta, na tonnta.
- Cuirtear -(e)anna leis an uimhir uatha; mar shampla: na fadhbanna, na sráideanna.
- Cuirtear -í leis an uimhir uatha; mar shampla: na horáistí, na seachtainí.
- Caolaítear an uimhir uatha; mar shampla: na fir, na héin, na Francaigh, na sagairt.
- Cuirtear -(e)acha leis an uimir uatha; mar shampla: na feirmeacha, na litreacha.
- Cuirtear -te leis an uimhir uatha; mar shampla: na béilte, na coillte.
- Cuirtear -aí leis an uimhir uatha; mar shampla: na cáilíochtaí, na gluaiseachtaí.
- Athraítear -(a)í go dtí -(a)ithe, mar shampla: na hainmhithe.
- Athraítear -(ú) go dtí -uithe, mar shampla: na scrúduithe.

1ú Díochlaonadh		2ú Díochlaonadh		3ú Díochlaonadh	
Uatha	Iolra	Uatha	Iolra	Uatha	Iolra
an t-ábhar	na hábhair	an fhuinneog	na fuinneoga	múinteoir	na múinteoirí
an fear	na fir	an chlann	na clanna	búistéir	na búistéirí
an t-éan	na héin	an tseachtain	na seachtainí	gluaiseacht	na gluaiseachtaí
an dán	na dánta	an tsráid	na sráideanna	leacht	na leachtanna
an sagart	na sagairt	an abairt	na habairtí	sos	na sosanna
an samhradh	na samhraí	an fhoireann	na foirne	dochtúir	na dochtúirí

4ú Díochlaonadh		5ú Díochlaonadh	
Uatha	Iolra	Uatha	Iolra
an cailín	na cailíní	an riail	na rialacha
an mála	na málaí	an cháin	na cánacha
an aiste	na haistí	an eochair	na heochracha
an t-earra	na hearraí	an litir	na litreacha
an t-oráiste	na horáistí	an treoir	na treoracha
an baile	na bailte	an tsiúr	na siúracha

Cleachtadh 19.9

Scríobh foirm iolra na nAinmfhocal seo.

1. An rás _____
2. An t-ábhar _____
3. An sagart _____
4. An fear _____
5. An t-éan _____

6. An fhuinneog _____
7. An aidhm _____
8. An chéim _____
9. An fhoireann _____
10. An bhliain _____

Cleachtadh 19.10

Scríobh foirm iolra na nAinmfhocal seo.

1. An duine _____
2. An phoblacht _____
3. An cailín _____
4. An mála _____
5. An aiste _____

6. An oíche _____
7. An t-uisce _____
8. An traein _____
9. An phearsa _____
10. An chathaoir _____

An Tuiseal Ginideach

Bíonn Ainmfhocal sa **Tuiseal Ginideach** de ghnáth:

- Nuair a thagann **dhá Ainmfhocal** le chéile, cuirtear an dara ceann sa Tuiseal Ginideach; mar shampla: hata Sheáin, cara Thaidhg, lucht éisteachta, cathair Chorcaí.

- Má thagann **an tAinm Briathartha** roimhe; mar shampla: ag imirt peile, ag bualadh an dorais, ag taisteal na tíre, ag bailiú airgid, ag déanamh oibre, ag tarraingt na bpictiúr.

- Má thagann Réamhfhocal Chomhshuite (*compound preposition*) roimhe.

Réamhfhocal Comhshuite			
ar aghaidh	*opposite*	i gcomhair	*for the purpose of*
ar chúl	*behind*	i dtaobh	*about*
ar feadh	*during*	i dtreo	*in the direction of*
ar fud	*throughout*	i gcuideachta	*in the company of*
ar son	*for the sake of*	i lár	*in the middle of*
ar nós	*like*	i láthair	*in the presence of*
d'ainneoin	*in spite of*	i measc	*among*
de bharr	*as a result of*	i ndiaidh	*after*
de réir	*according to*	in aghaidh	*against*
go ceann	*for*	in aice	*beside*
le haghaidh	*for the purpose of*	in éadan	*against*
i bhfianaise	*in the sight of*	le linn	*during*
i gcaitheamh/i rith	*during*	os cionn	*above*
i gceann	*at the end of*	os comhair	*in front of*
i gcoinne	*against*	tar éis	*after*

Seo roinnt samplaí de Réamhfhocail Chomhsuite roimh an Ainmfhocal: i rith an tsamhraidh, os comhair na tine, in aice an tí, i ndiaidh an bhricfeasta, de bharr na drochaimsire.

- Má thagann na focail seo a leanas roimh an Ainmfhocal, cuirtear an dara ceann sa Tuiseal Ginideach: **chun**, **timpeall**, **trasna**, **dála** agus **cois**; mar shampla: chun donais, timpeall na háite, trasna na farraige, dála an scéil, cois farraige.
- Nuair a bhíonn **cainníocht** (*quantity*) i gceist.

Cainníocht			
a lán	*a lot of*	go leor	*a lot of*
an iomad	*many*	mórán	*much*
an iomarca	*too many*	neart	*plenty*
beagán	*few*	níos mó	*bigger*
barraíocht	*excess*	níos lú	*less*
cuid	*some*	roinnt	*some*
dóthain	*enough*	tuilleadh	*more*

Seo roinnt samplaí de chainníocht roimh an Ainmfhocal, cuirtear an dara ceann sa Tuiseal Ginideach: a lán airgid, go leor oibre, mórán ama, mo chuid leabhar, roinnt cóipleabhar.

Foircinn na nAinmfhocal sa Tuiseal Ainmneach Iolra agus sa Tuiseal Ginideach iolra

Tá Ainmfhocal na Gaeilge roinnte i gcúig ghrúpa éagsúla ar a dtugtar díochlaontaí.

An Chéad Díochlaonadh

Tá na hAinmfhocail go léir firinscneach agus críochnaíonn siad ar chonsan leathan.

Seo roinnt samplaí sa Chéad Díochlaonadh:

An T. Ainm. Uatha	An T. Gin. Uatha	An T. Ainm. Iolra	An T. Gin. Iolra
an t-ábhar	tábhacht an ábhair	na hábhair	tábhacht na n-ábhar
an t-úll	blas an úill	na húlla	blas na n-úll
an dán	focail an dáin	na dánta	focail na ndánta
an t-éan	ceol an éin	na héin	ceol na n-éan
an bealach	geata an bhealaigh	na bealaí	geata na mbealaí
an marcach	capall an mharcaigh	na marcaigh	capall na marcach
an cogadh	i lár an chogaidh	na cogaí	i lár na gcogaí
an bád	in aice an bháid	na báid	in aice na mbád

Cleachtadh 19.11

Anois bain triail as na hAinmfhocail seo ón gCéad Díochlaonadh a scríobh sa Tuiseal Ainmneach iolra agus sa Tuiseal Ginideach uatha agus iolra.

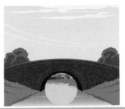

An T. Ainm. Uatha	An T. Gin. Uatha	An T. Ainm. Iolra	An T. Gin. Iolra
an fear	ainm an fhir	na fir	ainm na bhfear
an bád			
an páipéar			
an droichead			
an leabhar			
an post			
an samhradh			
an t-údar			

An Dara Díochlaonadh

Tá tromlach na nAinmfhocal baininscneach agus críochnaíonn siad ar chonsan.

Seo roinnt samplaí sa Dara Díochlaonadh:

An T. Ainm. Uatha	An T. Gin. Uatha	An T. Ainm. Iolra	An T. Gin. Iolra
an fhuinneog	barr na fuinneoige	na fuinneoga	barr na bhfuinneog
an chlann	tábhacht na clainne	na clanna	tábhacht na gclann
an áit	muintir na háite	na háiteanna	muintir na n-áiteanna
an bhaintreach	teach na baintreacha	na baintrí	teach na mbaintreach
an stoirm	cumhacht na stoirme	na stoirmeacha	gaoth na stoirmeacha
an abairt	rím na habairte	na habairtí	rím na n-abairtí
an choill	adhmaid na coille	na coillte	adhmaid na gcoillte
an tonn	trasna na toinne	na tonnta	trasna na dtonnta

Cleachtadh 19.12

Anois bain triail as na hAinmfhocail seo ón Dara Díochlaonadh a scríobh sa Tuiseal Ainmneach iolra agus sa Tuiseal Ginideach uatha agus iolra.

An T. Ainm. Uatha	An T. Gin. Uatha	An T. Ainm. Iolra	An T. Gin. Iolra
an abairt	i lár na habairte	na habairtí	i lár na n-abairtí
an bhábóg			
an chlann			
an dialann			

An T. Ainm. Uatha	An T. Gin. Uatha	An T. Ainm. Iolra	An T. Gin. Iolra
an fhadhb			
an fhoireann			
an lámh			
an sliabh			

An Tríú Díochlaonadh

Críochnaíonn Ainmfhocail an Tríú Díochlaonadh ar chonsan. Bíonn na déirí seo ag na hAinmfhocail sa díochlaonadh seo: **–óir**, **–eoir**, **–éir**, **–úis**, **-(e)acht**, **-(a)íocht**, srl.

Seo roinnt samplaí sa Tríú Díochlaonadh:

An T. Ainm. Uatha	An T. Gin. Uatha	An T. Ainm. Iolra	An T. Gin. Iolra
an múinteoir	spéaclaí an mhúinteora	na múinteoirí	spéaclaí na múinteoirí
an t-aisteoir	éacht an aisteora	na haisteoirí	éacht na n-aisteoirí
an ghluaiseacht	ciall na gluaiseachta	na gluaiseachtaí	ciall na ngluaiseachtaí
an fiaclóir	rúnaí an fhiaclóra	na fiaclóirí	seomraí na bhfiaclóirí
an chumhacht	ar son na cumhachta	na cumhachtaí	ar son na gcumhachtaí
an t-am	i rith an ama	na hamanna	i rith na n-amanna
an íobairt	altóir na híobartha	na híobairtí	altóirí na n-íobairtí
an búistéir	feoil an bhúistéara	na búistéirí	feoil na mbúistéirí

Cleachtadh 19.13

Anois bain triail as na hAinmfhocail seo ón Tríú Díochlaonadh a scríobh sa Tuiseal Ainmneach Iolra agus sa Tuiseal Ginideach uatha agus iolra.

An T. Ainm. Uatha	An T. Gin. Uatha	An T. Ainm. Iolra	An T. Gin. Iolra
an bhliain	ag tús na bliana	na blianta	ag tús na mblianta
an cháilíocht			
an dlíodóir			
an dochtúir			
an feirmeoir			
an t-imreoir			
an Ghaeltacht			
an rang			

An Ceathrú Díochlaonadh

Críochnaíonn an t-Ainmfhocal ar **-ín** nó ar ghuta san uimhir uatha. Tá tromlach na nAinmfhocal firinscneach.

Seo roinnt samplaí sa Cheathrú Díochlaonadh:

An T. Ainm. Uatha	An T. Gin. Uatha	An T. Ainm. Iolra	An T. Gin. Iolra
an cailín	gruaig an chailín	na cailíní	gruaig na gcailíní
an mála	ar chúl an mhála	na málaí	ar chúl na málaí
an aiste	focail na haiste	na haistí	focail na n-aistí
an t-oráiste	i lár an oráiste	na horáistí	i lár na n-oráistí
an baile	muintir an bhaile	na bailte	muintir na mbailte
an t-ainmhí	cos an ainmhí	na hainmhithe	cos na n-ainmhithe
an brú	balla an bhrú	na brúnna	balla na mbrúnna
an bus	am an bhus	na busanna	am na mbusanna

Cleachtadh 19.14

Anois bain triail as na hAinmfhocail seo ón gCeathrú Díochlaonadh a scríobh sa Tuiseal Ainmneach iolra agus sa Tuiseal Ginideach uatha agus iolra.

An T. Ainm. Uatha	An T. Gin. Uatha	An T. Ainm. Iolra	An T. Gin. Iolra
an ceirnín	ceol an cheirnín	na ceirníní	ceol na gceirníní
an cófra			
an féirín			
an garda			
an oíche			
an rúnaí			
an réalta			
an staighre			

An Cúigiú Díochlaonadh

Críochnaíonn na hAinmfhocail sa díochlaonadh seo ar chonsan caol san uimhir uatha -in, -ir, -il nó ar ghuta. Tá tromlach na nAinmfhocal baininscneach.

Seo roinnt samplaí sa Chúigiú Díochlaonadh:

An T. Ainm. Uatha	An T. Gin. Uatha	An T. Ainm. Iolra	An T. Gin. Iolra
an riail	i gcoinne na rialach	na rialacha	i gcoinne na rialacha
an cháin	lucht na cánach	na cánacha	lucht na gcánacha

An T. Ainm. Uatha	An T. Gin. Uatha	An T. Ainm. Iolra	An T. Gin. Iolra
an chathair	i lár na cathrach	na cathracha	i lár na gcathracha
an eochair	tábhacht na heochrach	na heochracha	tábhacht na n-eochracha
an litir	focail na litreach	na litreacha	focail na litreacha
an uimhir	os cionn na huimhreach	na huimhreacha	os cionn na n-uimhreacha
an t-athair	gruaig an athar	na haithreacha	gruaig na n-aithreacha
an triail	deireadh na trialach	na trialacha	deireadh na dtrialacha

Cleachtadh 19.15

Anois bain triail as na hAinmfhocail ón gCúigiú Díochlaonadh seo a scríobh sa Tuiseal Ainmneach iolra agus sa Tuiseal Ginideach uatha agus iolra.

An T. Ainm. Uatha	An T. Gin. Uatha	An T. Ainm. Iolra	An T. Gin. Iolra
an cara	ag lorg an charad	na cairde	ag lorg na gcairde
an chaora			
an chathair			
an eochair			
an mhainistir			
an riail			
an traein			
an trá			

Ainmfhocail Neamhrialta

Tuiseal Ainmneach	T. Gin. Uatha	Tuiseal Ainm. Iolra	T. Gin. Iolra
an deirfiúr	caint na deirféar	na deirfiúracha	caint na ndeirfiúracha
an deartháir	focail an dearthár	na deartháireacha	focail na ndeartháireacha
an mhí	i rith na míosa	na míonna	ar feadh na míonna
an bhean	caint na mná	na mná	caint na mban
an teach	ag tógáil tí	na tithe	ag tógáil na dtithe
an deoch	ag ól na dí	na deochanna	ag ól na ndeochanna
an leaba	in aice na leapa	na leapacha	in aice na leapacha
an talamh	féar an talaimh	na tailte	féar na dtailte
an t-athair	os comhair an athar	na haithreacha	os comhair na n-aithreacha
an mháthair	caint na máthar	na máthaireacha	caint na máithreacha

Cleachtadh ar cheist na gramadaí don tSraith Shóisearach

Cuir na focail idir lúibíní sa Tuiseal Ginideach.

Labhair an múinteoir leis na páistí agus dúirt sé go raibh obair na (capall) (1) déanta acu i rith na (bliain) (2). Dúirt sí go mbeidís ag ceiliúradh le go leor (cara) (3) ag deireadh na (bliain) (4). Bhí gach duine ar bís leis an nuacht seo agus bheartaigh siad a gcuid (gruaig) (5) a dhéanamh don chóisir agus a bheith gléasta go deas d'eachtraí móra an (samhradh) (6).

Cleachtadh 19.16

1. _____   4. _____

2. _____   5. _____

3. _____   6. _____

Cleachtadh ar cheist 6A don Ardteistiméireacht

Aimsigh an (1) Tuiseal Ginideach iolra, (2) an Tuiseal Ginideach baininscneach uatha agus (3) an Tuiseal Ginideach firinscneach uatha sna hailt ó léamhthuiscintí na hArdteistiméireachta.

Na Cluichí Oilimpeacha – Prionsabail agus Conspóidí

Tá samhradh iontach spóirt buailte linn. Tá Euro 2016, Corn na hEorpa sa sacar, ar siúl sa Fhrainc faoi láthair. Den chéad uair riamh, tá dhá fhoireann as Éirinn páirteach ann, Poblacht na hÉireann agus Tuaisceart Éireann. Chomh maith leis sin, cuirfear tús leis na Cluichí Oilimpeacha i gcathair Rio de Janeiro ag tús mhí Lúnasa. I Londain a tionóladh na cluichí deireanacha in 2012. Tá éacht Katie Taylor i Londain fós beo inár gcuimhne. Bhuaigh sí bonn óir i ndornálaíocht éadrom-mheáchain na mban. Bean as an Rúis a bhí ina coinne sa bhabhta ceannais. Bhí an troid an-chothrom. Bhí teannas san airéine ag deireadh na troda mar cuireadh moill ar fhógairt an toraidh. Ardaíodh na mílte glór san airéine, agus ar fud na hÉireann, nuair a fógraíodh go raibh an bua ag Katie. Ba bhua stairiúil é sin mar glacadh le dornálaíocht na mban mar spórt Oilimpeach den chéad uair riamh ag na cluichí in 2012.

2016 Léamhthuiscint A

Cuir Comhairle ar an Óige

Bhí comhdháil mhór dhomhanda na heagraíochta One Young World (OYW) ar siúl i mBaile Átha Cliath in 2014. Bhailigh míle trí chéad ceannaire óg ó thíortha as gach cearn den domhan le chéile ag an gcomhdháil spéisiúil seo. Bhí na ceannairí óga seo idir ocht mbliana déag agus tríocha bliain d'aois. Ba í seo an cúigiú comhdháil a bhí ag an eagraíocht OYW. Tugann an chomhdháil bhliantúil deis do na ceannairí óga bualadh le chéile chun na dúshláin atá roimh óg agus aosta ar fud an domhain a phlé. Ag na comhdhálacha éagsúla thar na blianta pléadh ceisteanna domhanda san iliomad réimse den saol: an t-oideachas, cearta daonna, an téamh domhanda agus an éagothroime idirnáisiúnta, mar shampla. Ba iad príomhthéamaí na comhdhála i mBaile Átha Cliath anuraidh ná an tsíocháin agus an choimhlint.

2015 Léamhthuiscint A

Cleachtadh 19.17

1. _____   3. _____

2. _____

An Aidiacht san Uimhir Uatha

De ghnáth, tagann Aidiacht i ndiaidh Ainmfhocail.

Réitíonn an Aidiacht leis an Ainmfhocal de réir tuisil, inscne agus uimhreach. Séimhítear aidiacht a cháilíonn Ainmfhocal baininscneach sa Tuiseal Ainmneach, Cuspóireach agus Gairmeach uatha.

Rialacha le foghlaim

- **Ainmfhocal Firinscneach** + Aidiacht, mar shampla: an fear mór, an teach beag, an lá deacair
- **Ainmfhocal Baininscneach** + Aidiacht, mar shampla: an bhean **bh**eag, an leabharlann **mh**ór agus an fhilíocht **dh**eacair
- **Réamhfhocail Shimplí** + an t-Alt + Ainmfhocal Firinscneach + Aidiacht: ag an **bh**fear crua agus leis an teach deas.
- **Réamhfhocail Shimplí** + an t-Alt + Ainmfhocal Baininscneach + Aidiacht: ar an **bh**fuinneog **mh**ór agus leis an **mb**ábóg **bh**eag.
- Nuair a thagann d, n, t, l nó s le chéile ag deireadh ainmfhocail bhaininscneacha agus ag tús aidiachtaí: bíonn an séimhiú fós ann, mar shampla: iní**on dh**eas, be**an sh**ochair.

Cleachtadh 20.1

Athraigh na hAidiachtaí idir lúibíní más gá.

1. Bean (deas) _____
2. Fear (mór) _____
3. Ceardlann (iontach) _____
4. Teach (salach) _____
5. Guth (binn) _____

6. Duine (suimiúil) _____
7. Múinteoir (maith) _____
8. Focal (briste) _____
9. Leabhar (maith) _____
10. Fuinneog (bréa) _____

Cleachtadh 20.2

Athraigh na hAidiachtaí idir lúibíní más gá.

1. Aidhm (maith) _____
2. Clann (mór) _____
3. Léine (glas) _____
4. Séipéal (ciúin) _____
5. Taoiseach (maith) _____

6. Ceolchoirm (glórmhar) _____
7. Uisce (te) _____
8. Carraig (mór) _____
9. Cailín (cliste) _____
10. Eitilt (fada) _____

An Aidiacht san Uimhir Iolra

Chun Aidiacht a chur san uimhir iolra:

- Cuir **-a** nó **-e** leis, mar shampla: mór – mór**a**, deas – deas**a**, ciúin – ciúin**e**, láidir – láid**re**.

- Athraigh **úil** – **úla**, **air** – **ra**, mar shampla: suimiúil – suimiú**la**, deacair – deac**ra**.

- Ní athraítear aidiacht a chríochnaíonn ar ghuta, mar shampla: málaí buí, fear cliste.

- **Eisceachtaí:** breá agus te – athraíonn breá go breátha agus te go teo san iolra.

- Má tá Ainmfhocal san uimhir iolra ag críochnú ar chonsan caol cuirtear séimhiú ar an Aidiacht, mar shampla: na fir d**h**easa, na boird m**h**óra, na báid b**h**eaga.

Cleachtadh 20.3

Athraigh na hAidiachtaí idir lúibíní más gá.

1. Amadáin (mór) _____

2. Mná (saibhir) _____

3. Báid (mór) _____

4. Leabhair (maith) _____

5. Daoine (suimiúil) _____

6. Amhráin (Gaeilge) _____

7. Tuairiscí (gearr) _____

8. Caidrimh (maith) _____

9. Ceolchoirmeacha (fada) _____

10. Fuinneoga (deas) _____

Cleachtadh 20.4

Athraigh na hAidiachtaí idir lúibíní más gá.

1. Dualgais (fadtéarmach) _____

2. Fir (mór) _____

3. Ceardlanna (iontach) _____

4. Tithe (salach) _____

5. Sléibhte (ard) _____

6. Seomraí (beag) _____

7. Ranganna (glórmhar) _____

8. Capaill (bán) _____

9. Mná (láidir) _____

10. Sráideanna (dubh) _____

Cleachtadh 20.5

Cuir gach Ainmfhocal agus Aidiacht san uimhir uatha (mar shampla: fir mhóra – fear mór).

1. Agallaimh dheacra _____

2. Scríbhneoirí uaisle _____

3. Daoine cróga _____

4. Fuinneoga deasa _____

5. Eaglaisí spioradálta _____

6. Múinteoirí maithe _____

7. Cótaí glasa _____

8. Madraí glórmhara _____

9. Leabhair dhuba _____

10. Taoisigh mhaithe _____

Cleachtadh 20.6

Cuir gach Ainmfhocal agus Aidiacht san uimhir uatha (mar shampla: fir mhóra – fear mór).

1. Rúin dhaighne _____   6. Clúdaigh bheaga _____

2. Caisleáin ghalánta _____   7. Ballaí móra _____

3. Poist dheacra _____   8. Laethana fada _____

4. Clanna cáiliúla _____   9. Tuairiscí scríofa _____

5. Tinte móra _____   10. Cathracha móra _____

Tá **trí dhíochlaonadh** den aidiacht ann.

An Chéad Díochlaonadh

Aidiachtaí a chríochnaíonn ar chonsan; mar shampla: mór, beag, ciúin, deas, bocht, uaigneach.

Firinscneach

An T. Ainm. Uatha	An T. Gin. Uatha	An T. Ainm. Iolra	An T. Gin. Iolra
an cailín beag	caint an chailín bhig	na cailíní beaga	caint na gcailíní beaga
an fear meidhreach	hata an fhir mheidhrigh	na fir mheidhreacha	hata na bhfear meidhreach
an bóthar ciúin	fear an bhóthair chiúin	na bóithre ciúine	fir na mbóithre ciúine

Baininscneach

An T. Ainm. Uatha	An T. Gin. Uatha	An T. Ainm. Iolra	An T. Gin. Iolra
an oíche mhaith	ceol na hoíche maithe	na hoícheanta maithe	ceol na n-oícheanta maithe
an bhean bhán	spléachaí na mná báine	na mná báine	cótaí na mban bán
an tine mhór	lasracha na tine móire	na tinte móra	lasracha na dtinte móra

Cleachtadh 20.7

Athraigh na haidiachtaí idir lúibíní más gá.

1. Cloistear caint na bhfear (deas) _____ go minic sa cheantar sin.

2. Feictear fadhbanna (mór) _____ sa domhan seo anois.

3. An chuala tú scéal an chailín (bán) _____ in iarthar an Chláir?

4. Tá leabhar scríofa ar lasracha (an tine mór) _____.

5. Beidh nuacht an lae (mór) _____ ar an teilifís anocht.

6. Tá daltaí na múinteoirí (bocht) _____ faoi bhrú anois.

7. Ar chuala tú go raibh éin an (domhan mór) _____ ag fáil bháis?

8. Tá na mná (uaigneach) _____ ag caint arís mar gheall ar bhás an (fear mór) _____.

9. Tá filí na (dánta: dubh) _____ le bheith ag tabhairt óráide i mBaile Átha Cliath go luath.

10. Cloisfear focail an amhráin (maith) _____ ar an raidió um thráthnóna.

An Dara Díochlaonadh

Aidiachtaí a chríochnaíonn ar –**úil** nó –**ir**; mar shampla: suimi**úil**, éirimi**úil**, deaca**ir**, agus có**ir**.

Firinscneach

An T. Ainm. Uatha	An T. Gin. Uatha	An T. Ainm. Iolra	An T. Gin. Iolra
an cúrsa suimiúil	nótaí an chúrsa shuimiúil	na cúrsaí suimiúla	nótaí na gcúrsaí suimiúla
an buachaill éirimiúil	caint an bhuachalla éirimiúil	na buachaillí éirimiúla	caint na mbuachaillí éirimiúla

Baininscneach

An T. Ainm. Uatha	An T. Gin. Uatha	An T. Ainm. Iolra	An T. Gin. Iolra
an bhean shuimiúil	caint na mná suimiúla	na mná suimiúla	caint na mban suimiúil
an bhean chóir	bróga na mná córa	na mná córa	bróga na mban cóir
an mháthair dheacair	ainm na máthar deacra	na máithreacha deacra	ainm na máithreacha deacra

Cleachtadh 20.8

Athraigh na hAidiachtaí idir lúibíní más gá.

1. Tá na buachaillí (éirimiúil) _____ sa rang sin.

2. An bhfaca tú na fir (suimiúil) _____ ag an léacht sin?

3. Tá caint na mban (cóir) _____ sin go deas.

4. Cá bhfuil hátaí na mban (cairdiúil) _____?

5. Tiocfaidh feirmeoirí na bhfeirmeacha (saibhir) _____ chuig an aonach sin.

6. Tá nótaí an chúrsa (suimiúil) _____ ar fáil ar líne anois.

7. Chonaic mé an buachaill ag scríobh na haiste (deacair) _____.

8. Beidh na mná (cóir) _____ sin ag labhairt le chéile arís.

9. Beidh na fir (misniúil) _____ ar an bhfoireann sin.

10. Cad é teideal na bpost (suimiúil) _____?

An Tríú Díochlaonadh

Aidiachtaí a chríochnaíonn ar ghuta; mar shampla: cróga, te, rua, cliste agus breá.

Firinscneach

An T. Ainm. Uatha	An T. Gin. Uatha	An T. Ainm. Iolra	An T. Gin. Iolra
an fear cróga	tábhacht an fhir chróga	na fir chróga	tábhacht na bhfear cróga
an cailín rua	athair an chailín rua	na cailíní rua	aithreacha na gcailíní rua
an cúrsa fada	mic léinn an chúrsa fhada	na cúrsaí fada	mic léinn na gcúrsaí fada

Baininscneach

An T. Ainm. Uatha	An T. Gin. Uatha	An T. Ainm. Iolra	An T. Gin. Iolra
an bhean shona	gruaig na mná sona	na mná sona	gruaig na mban sona
an mháthair chliste	tábhacht na máthar cliste	na máithreacha cliste	tábhacht na máithreacha cliste
an cheolchoirm fhada	ceol na ceolchoirme fada	na ceolchoirmeacha fada	ceol na gceolchoirmeacha fada

Cleachtadh 20.9

Athraigh na haidiachtaí idir lúibíní más gá.

1. Tá na cailíní (cliste) _____ sa rang sin.

2. An bhfuil athair an chailín (rua) _____ sa lucht féachana?

3. Tá an leabharlann (breá) _____ le feiceáil ar líne anois.

4. Cá bhfuil na máithreacha (sona) _____ ag dul?

5. Beidh laethanta (fada) _____ againn i lár na bliana seo.

6. Cá bhfuil na sráideanna (fada) _____ in Éirinn?

7. Beidh leabhair na mban (cliste) _____ ar fáil sna siopaí go luath.

8. An gceapann tú go bhfuil an bhean (sona) _____ sin ag dul amach le héinne?

9. Tá na mná (aosta) _____ ag caint sa chistin.

10. Tá an fhilíocht (casta) _____ intuigthe.

21 Claoninsint (Caint Indíreach)

An Aimsir Chaite

Rialacha le foghlaim

- Cuirtear **gur** + **séimhiú** nó **nár** + **séimhiú** roimh bhriathra san Aimsir Chaite nuair a bhíonn Claoninsint san abairt.
- Má thosaíonn an briathar le **d'** san Aimsir Chaite, fágtar an **d'** ar lár; mar shampla: **d'**oscail – gur oscail, **d'**fhág – gur fhág.

Samplaí

Caint Dhíreach	Caint Indíreach
Chríochnaigh sé a chuid oibre.	Chuala mé gur chríochnaigh sé a chuid oibre.
Chan siad amhráin nua.	Dúradh gur chan siad amhráin nua.
Ghlan sí a seomra.	Dúirt a máthair gur ghlan sí a seomra.
D'oscail Seán an doras.	Dúirt sé gur oscail Seán an doras.
D'imir siad an cluiche.	Cheap mé gur imir siad an cluiche.
D'fhreastail Áine ar an scoil seo .	Chuala mé gur fhreastail Áine ar an scoil seo.

Cleachtadh 21.1

Cuir 'Dúirt Seán' roimh na habairtí seo a leanas agus scríobh i do chóipleabhar iad.

1. D'fhreastail Clár ar Ardscoil Mhuire.
2. D'fhill sí ón scoil um thráthnóna.
3. Rug siad ar an liathróid sin.
4. D'fhéachamar ar an gcluiche sin aréir.
5. D'oscail sé an doras di.
6. Chuala Siobhán an madra ag tafann.
7. Ghlan Jagoda an seomra.
8. Thit an fear den rothar.
9. Smaoinigh siad ar an airgead go ródhéanach.
10. D'imir siad thar barr.

Samplaí

Caint Dhíreach	Caint Indíreach
Bhí Gearóidín tinn.	Dúirt Gearóidín go raibh sí tinn.
Dúirt sí ceart go leor.	Chuala mé go ndúirt sí ceart go leor.
Chonaic Sorcha an carr ag teacht.	Dúirt Sorcha go bhfaca sí an carr ag teacht.
Fuair sí bronntanas.	Chuala mé go bhfuair sí bronntanas.
Chuaigh siad abhaile.	Dúirt Síle go ndeachaigh siad abhaile.
Ní dhearna mé mo dhícheall.	Dúradh nach ndearna mé mo dhícheall.

Eisceachtaí

Bhí	go raibh	nach raibh
Dúirt	go ndúirt	nach ndúirt
Chonaic	go bhfaca	nach bhfaca
Fuair	go bhfuair	nach bhfuair
Chuaigh	go ndeachaigh	nach ndeachaigh
Rinne	go ndearna	nach ndearna

Cleachtadh 21.2

Cuir 'Chuala Síle' roimh na habairtí seo a leanas agus scríobh i do chóipleabhar iad.

1. Bhí Pól ar scoil.
2. Dúirt Jacub ceart go leor.
3. Chonaic siad an cluiche ar an teilifís.
4. Fuair Pádraigín cáca milis mór dá breithlá.
5. Chuaigh siad go dtí an bhialann.
6. Ní dhearna sí a cuid obair bhaile.
7. Ní dheachaigh siad chuig an bpáirc imeartha.
8. Ní raibh éinne i láthair.
9. Ní fhaca sí an timpiste.
10. Ní bhfuair siad aon tae sa teach sin.

An Aimsir Láithreach

Rialacha le foghlaim

- Úsáidtear an Chlaoninsint tar éis nathanna mar 'tá a fhios agam', 'deir sé', 'ceapann sí', 'is é mo bharúil'.
- Cuireann go/nach **urú** ar an mbriathar ina ndiaidh san Aimsir Láithreach.
- San Aimsir Láithreach athraíonn 'tá' go 'go bhfuil' más abairt dhearfach atá i gceist nó 'nach bhfuil' más abairt dhiúltach atá i gceist.

Samplaí

Caint Dhíreach	Caint Indíreach
Déanann do mháthair cáca milis deas duit.	Cloisim go **nd**éanann do mháthair cáca milis deas duit.
Tugann sí bronntanas dó.	Tá a fhios agam go **dt**ugann sé bronntanas dó.
Glanann siad a seomraí.	Ceapann sí go **ng**lanann siad a seomraí.
Osclaíonn Pádraig an doras.	Is é mo bharúil go **n-o**sclaíonn Pádraig an doras.
Ní imríonn sibh peil Ghaelach.	Cloisim nach **n-i**mríonn sibh peil Ghaelach.
Ní fhreastalaíonn Áine ar Ardscoil Mhuire.	Deir sé nach **bhf**reastalaíonn Áine ar Ardscoil Mhuire.
Tá an cat ar an mbord.	Cloisim go **bhf**uil an cat ar an mbord.

Cleachtadh 21.3

Cuir 'Ceapann Cillian' roimh na habairtí seo a leanas agus scríobh i do chóipleabhar iad.

1. Itheann siad a ndinnéar ag an mbord.
2. Ceapann siad go bhfuil siad go hiontach.
3. Cónaíonn an fear ar an bhfeirm.
4. Léimeann an bhó thar an gclaí.
5. Cuireann an príomhoide fáilte mhór roimh chách.
6. Glaonn sé ar an bhfiaclóir mar tá pian ina fhiacla aige.
7. Ceannaíonn siad seacláid gach Aoine.
8. Ní imríonn siad cluiche ar an Luan.
9. Scríobhann an file filíocht gach lá.
10. Aithníonn ciaróg ciaróg eile.

An Aimsir Fháistineach agus an Modh Coinníollach

Rialacha le foghlaim

- Úsáidtear an Chlaoninsint tar éis 'chuala sí', 'dúirt siad', 'tá a fhios agam', 'deir sé', 'ceapann sí', 'is é mo bharúil', srl.

- Cuireann go/nach **urú** ar an mbriathar ina ndiaidh san Aimsir Láithreach, Aimsir Fháistineach nó sa Mhodh Coinníollach.

- Athraíonn 'faigh' go dtí 'go/nach **bhf**aighidh san Aimsir Fháistineach. Athraíonn 'faigh' go dtí 'go/nach **bhf**aigheadh' sa Mhodh Coinníollach.

Samplaí

Caint Dhíreach	Caint Indíreach
Déanfaidh sé a dhícheall.	Cloisim go n**d**éanfaidh sé a dhícheall.
Gheobhadh sé síob go Corcaigh dá mbeadh duine ag tiomáint ann.	Tá a fhios agam go **bhf**aigheadh sé síob go Corcaigh dá mbeadh duine ag tiomáint ann.
Beidh sí ag dul faoi scian amárach	Ceapann sí go **mb**eidh sí ag dul faoi scian amárach.
Fanfaidh mé sa bhaile amárach.	Is é mo bharúil go **bhf**anfaidh mé sa bhaile amárach.
Cuirfidh an feirmeoir na ba isteach sa pháirc.	Cloisim go **gc**uirfidh an feirmeoir na ba isteach sa pháirc.
Ní bheidh aon eolas aici ar an ábhar sin.	Deir sí nach **mb**eidh aon eolas aici ar an ábhar sin.
D'imreodh sé peil dá mbeadh sé in ann.	Deir sí go **n-**imreodh sé peil dá mbeadh sé in ann.

Cleachtadh 21.4

Cuir 'Cheap Joanna' roimh na habairtí seo a leanas agus scríobh i do chóipleabhar iad.

1. Bheadh an fhoireann sin go hiontach.
2. Go rachadh an aimsir i bhfeabhas.
3. Léimfidh an fear thar an gclaí.
4. Chuirfeadh an príomhoide ceist orthu dá mbeidís déanach.
5. Glaofaidh sé uirthi má tá ceist aici.
6. Ceannóidh siad seacláid Dé hAoine.
7. Íosfaidh siad a ndinnéar ag an mbord.
8. Ní imreoidh siad cluiche Dé Luain.
9. Rachadh an rang ar fad ar cuairt chuig an Dáil.
10. Gheobhadh sí bronntanas dá mbeadh sí go deas lena deirfiúr.

22 Ceisteanna Scrúdaithe

- Sa chuid seo den leabhar féachfaimid ar cheist 6A agus ar cheist 6B ó pháipéar a 2 den scrúdú Ardteistiméireachta.
- Is fiú 15 mharc ceist 6 agus tá dhá léamhthuiscint ann. Is fiú 30 marc nó 5% san iomlán an dá cheist sin.

Ceist 6A san Ardteistiméireacht

Is fiú 3 mharc an cheist seo. Is fiú 2 mharc don chéad mhír ghramadaí atá ceart agus marc amháin don dara mír ghramadaí atá ceart.

Pointí Gramadaí	Samplaí
Uimhreacha pearsanta (*personal numbers*)	duine, beirt, triúr, ceathrar, cúigear, seisear, seachtar, ochtar, naonúr, deichniúr
Séimhiú (*lenition*)	ní bheidh sí, ba mhaith liom, a Sheáin
Réamhfhocail Shimplí (*simple prepositions*)	ag, le, as, idir, ó, roimh, chuig, do, de, ar, i, thar
Forainmneacha Réamhfhoclacha (*prepositional pronouns*)	**ag:** agam, agat, aige, aici, againn, agaibh, acu **ar:** orm, ort, air, uirthi, orainn, oraibh, orthu **as:** asam, asta, as, asti, asainn, asaibh, astu **chuig:** chugam, chugat, chuige, chuici, chugainn, chugaibh, chucu **do:** dom, duit, dó, di, dúinn, daoibh, dóibh **de:** díom, díot, de, di, dínn, díbh, díobh **faoi:** fúm, fút, faoi, fúithí, fúinn, fúibh, fúthu **le:** liom, leat, leis, léi, linn, libh, leo **ó:** uaim, uait, uaidh, uaithi, uainn, uaibh, uathu **roimh:** romham, romhat, roimhe, roimpi, romhainn, romhaibh, rompu **thar:** tharam, tharat, thairis, thairsti, tharainn, tharaibh, tharstu **trí:** tríom, tríot, tríd, tríthi, trínn, tríbh, tríothu
An Aidiacht (*adjective*)	álainn, beag, cairdiúil, deas, leisciúil, mór
An Aidiacht Shealbhach (*possessive adjective*)	mo theach, do mhála, a capall (*her horse*), a chapall (*his horse*)
Céimeanna Comparáide na hAidiachta (*comparative adjectives*)	**Sárchéim:** an duine is fearr, an buachaill is lú **Breischéim na hAidiachta:** tá Seán níos lú ná Síle

Pointí Gramadaí	Samplaí
An tÚrú (*the eclipse*)	mb – ar an **mb**róg, gc – leis an **gc**at, nd, dt, ng, bp, bhf, **n-**guta: a **n-a**rán, ár **n-o**ráiste
An Chopail (*the copula*)	an, is, ba, ní, gur, nach, gurb, narb, gurbh, nárbh
An Aidiacht Bhriathartha (*verbal adjective*)	déan**ta**, scrío**fa**, buail**te**
An tAinm Briathartha (*verbal noun*)	**ag** déanamh, **ag** scríobh, **ag** obair, **a** chaitheamh, **a** rá, **a** léamh
Ainmfhocail Fhirinscneacha agus Ainmfhocail Bhaininscneacha (*feminine and masculine nouns*)	**Firinscneach: an** fear, **an t-**údar, **an** sagart, **an t-**irisleabhar **Baininscneach: an b**hean, **an t**sráid, **an c**hultúrlann, **an f**horbairt
Ainmfhocal Firinscneach uimhir uatha sa Tuiseal Ginideach (*masculine nouns in the genitive case singular*)	i lár **an b**haile, in aice **an b**háid, geata **an b**healaigh
Ainmfhocal Baininscneach uimhir uatha sa Tuiseal Ginideach (*feminine nouns in the genitive case singular*)	ar son **na** cúise, i lár **na** bliana, i rith **na** Nollag, rím **na** habairte
An Tuiseal Ginideach Iolra (*genitive case plural*)	bóthar **na dt**reabh, obair **na mb**each, obair **na gc**apall

An Aimsir Chaite (*past tense*)

dúirt mé/tú/sé/sí/sibh/siad	d'éist mé/tú/sé/sí/sibh/siad	nigh mé/tú/sé/sí/sibh/siad	roghnaigh mé/tú/sé/sí/sibh/siad	d'fhreagair mé/tú/sé/sí/sibh/siad
dúramar	d'éisteamar	nigheamar	roghnaíomar	d'fhreagraíomar

An Aimsir Láithreach (*present tense*)

deirim	éistim	ním	roghnaím	freagraím
deir mé/tú/sé/sí/sibh/siad	éisteann mé/tú/sé/sí/sibh/siad	naíonn mé/tú/sé/sí/sibh/siad	roghnaíonn mé/tú/sé/sí/sibh/siad	freagraíonn mé/tú/sé/sí/sibh/siad
deirimid	éistimid	nímid	roghnaímid	freagraímid

An Aimsir Fháistineach (*future tense*)

déarfaidh mé/tú/sé/sí/sibh/siad	éistfidh mé/tú/sé/sí/sibh/siad	nífidh mé/tú/sé/sí/sibh/siad	roghnóidh mé/tú/sé/sí/sibh/siad	freagróidh mé/tú/sé/sí/sibh/siad
déarfaimid	éistfimid	nífimid	roghnóimid	freagróimid

An Modh Coinníollach (*conditional mood*)

deirimis	d'éistfinn	nífinn	roghnóinn	d'fhreagróinn
déarfadh sibh	d'éistfeá	nífeá	roghnófá	d'fhreagrófá
déarfaidís	d'éistfeadh sé/sí	nífeadh sé/sí	roghnódh sé/sí	d'fhreagródh sé/sí
déarfaimis	d'éistimis	nífimis	roghnóimis	d'fhreagróimís
déarfadh sibh	d'éistfeadh sibh	nífeadh sibh	roghnódh sibh	d'fhreagródh sibh
déarfaidís	d'éistfidís	nífidís	roghnóidís	d'fhreagróidís

An Aimsir Ghnáthchaite (*habitual past tense*)

deirim	d'éistinn	nínn	roghnainn	d'fhreagrainn
deirteá	d'éisteá	níteá	roghnaíteá	d'fhreagraíteá
deireadh mé/tú/sé/sí	d'éisteadh mé/tú/sé/sí	níodh mé/tú/sé/sí	roghnaíodh mé/tú/sé/sí	d'fhreagraíodh mé/tú/sé/sí
deirimis	d'éistimis	nímis	roghnaímis	d'fhreagraímis
deireadh sibh	d'éisteadh sibh	níodh sibh	roghnaíodh sibh	d'fhreagraíodh sibh
deiridís	d'éistidís	nídís	roghnaídís	d'fhreagraídís

An Saorbhriathar (Briathar Saor) (*free verb*)

An Aimsir Chaite (adh/eadh)	An Aimsir Láithreach (tear/tar)	An Aimsir Fháistineach (fear/far)	An Modh Coinníollach (faí/fí)	An Aimsir Ghnáthchaite (taí/tí)
dúradh	deirtear	déarfar	déarfaí	déartaí
éisteadh	éistear	éistfear	éistfí	d'éistí
nídh	nítear	nífear	nífí	nítí
roghnaíodh	roghnaítear	roghnófar	roghnófaí	roghnaítí
freagraíodh	freagraítear	freagrófar	freagrófaí	
	can(tar)			
	fág(tar)			

Seo liosta de mhíreanna gramadaí a tháinig aníos ó 2012 go dtí 2020

Ainmfhocal sa Ghinideach uatha	2012
Briathar san Aimsir Chaite	–
Briathar san Aimsir Láithreach	2015
Briathar san Aimsir Fháistineach	2017 agus 2014
Briathar sa Mhodh Coinníollach	2019, 2017, 2016 agus 2014
Briathar Saor – An Aimsir Chaite	2019, 2015, 2014, 2013 agus 2012
Briathar Saor – An Aimsir Láithreach	2018, 2017, 2016 agus 2012

Briathar Saor – An Aimsir Fháistineach	2020, 2019, 2018, 2017 agus 2015
Céimeanna Comparáide na hAidiachta	2020 agus 2018
Tuiseal Ginideach Uatha (Firinscneach)	2018, 2017, 2015 agus 2013
Tuiseal Ginideach Uatha (Baininscneach)	2019, 2016
Tuiseal Ginideach Iolra	2020, 2016, 2014, 2013 agus 2012
Uimhreacha Pearsanta	2013

Ceist 6B san Ardteistiméireacht

- Ceist 6B: is fiú 12 mharc an cheist seo.

- De ghnáth is fiú 6 mharc do dhá phointe eolas. Lena chois sin, is fiú dhá mharc d'ainmniú na tréithe, mar shampla, agus ceithre mharc le haghaidh cur síos a dhéanamh ar an tréith sin sa sliocht.

- Is leor **60 focal** do gach freagra.

Ceist
Freagra

Seo liosta de na ceisteanna a tháinig aníos ó 2012 go dtí 2020

Cén cineál seánra lena mbaineann an sliocht seo? Luaigh dhá thréith a bhaineann leis an gcineál seo litríochta. *(What is the genre of this extract? Mention two traits that are associated with this type of literature.)*	2015, 2013, 2012
Cad a léiríonn an sliocht seo faoi dhearcadh phobal Mheiriceá...? *(What does this extract show about the outlook of the American people...?)*	2012
Bunaithe ar an eolas sa sliocht thuas, an dtaitníonn Steve Jobs leat? Tabhair dhá fháth le do fhreagra. *(Based on the information in the passage above, do you like Steve Jobs? Give two reasons for your answer.)*	2013
Bunaithe ar an eolas sa sliocht thuas, déan plé, i d'fhocail féin, ar dhá chúis ar scríobh an t-údar an sliocht seo, dar leat. (Bíodh tagairt amháin ón sliocht agat, i d'fhocail féin, ag tacú le gach aidhm a luann tú i do fhreagra – 2020) *(Based on the information in the passage above, discuss, in your own words, two reasons why you think the author wrote this passage. [Have one reference from the passage, in your own words, supporting each aim you state in your answer.])*	2020, 2019, 2018 agus 2017
Bunaithe ar an eolas sa sliocht thuas, déan plé, i d'fhocail féin, ar dhá aidhm a bhí ag an údar, dar leat, nuair a scríobh sé an sliocht seo. (Bíodh tagairt amháin ón sliocht agat, i d'fhocail féin, ag tacú le gach aidhm a luann tú i do fhreagra – 2020) *(Based on the information in the passage above, discuss, in your own words, two aims that you think the author had in writing this passage. [Have one reference from the passage, in your own words, supporting each aim you state in your answer.])*	2020 agus 2016

Scríobh síos dhá ábhar imní éagsúla a luaitear sna hailt agus cúis a luaitear le gach ceann de na hábhair imní sin. *(Write down two topics of worry that are mentioned in the paragraphs and mention one cause of this worry in each case.)*	2014
Luaigh dhá thréith a bhain le… *(Mention two traits associated with…)*	2014
An eagraíocht mhaith í OYW? *(Is OYW a good organisation?)*	2015
Déan plé i d'fhocail féin ar dhá phointe eolais faoin athrú aeráide a luann an t-údar. *(Discuss in your own words two points of information about the change in the environment that the author mentions.)*	2016
Conas a chuaigh an sliocht i bhfeidhm ort? *(How did this extract impact you?)*	2018 agus 2017
Bunaithe ar an eolas sa sliocht thuas, luaigh dhá thréith a bhain le Constance Markievicz, dar leat. *(Based on the information in the above piece, mention two traits associated with Constance Markievicz, in your opinion.)*	2019

Frásaí Úsáideacha

Is féidir na frásaí seo a úsáid le tús a chur le do fhreagra (*you can use these phrases to start your answer*):

- Is í mo bharúil ná
- I mo thuairim
- Is féidir a rá
- Dar liom
- Ní féidir a shéanadh
- Caithfidh mé a rá
- Feicimid gur
- Gan amhras
- Ar an gcéad dul síos

Chun do dhara pointe a dhéanamh is féidir leat na frásaí seo a úsáid (*for your second point you can use these phrases*):

- Chomh maith leis sin
- Ina theannta sin
- Anuas air sin
- Freisin
- Lena chois sin

Tá an dá cheist seo an-chosúil lena chéile agus is féidir linn na freagraí céanna a úsáid chun na ceisteanna seo a fhreagairt (*these two questions are very similar and we can use the same answers to answer these questions*):

- Bunaithe ar an eolas sa sliocht thuas, déan plé, i d'fhocail féin, **ar dhá chúis** (*two reasons*) ar scríobh an t-údar an sliocht seo. (Is leor **60** focal.)

- Bunaithe ar an eolas sa sliocht thuas, déan plé, i d'fhocail féin, **ar dhá aidhm** (*two aims*) a bhí ag údar an tsleachta seo. (Is leor **60** focal.)

- I mo thuairim, scríobh an t-údar an sliocht seo chun (*in my opinion the author wrote this piece because*):
- Ceapaim gurbh í an chéad aidhm a bhí ag an údar ná (*in my opinion the first aim of the author was*):

— eolas cuimsitheach (*comprehensive information*) a thabhairt dúinn ar an ábhar seo/an duine seo

— cur síos a dhéanamh (*to describe*) ar 'an duine' nó 'ar an ábhar'

— an t-ábhar seo a thabhairt chun solais (*to bring this information to light*)

— eolas a thabhairt don léitheoir (*to give information to the reader*) maidir leis an ábhar seo

— tá paisean aige/aici don ábhar seo (*they have a passion for the subject*) agus ba mhaith leis/léi eolas a thabhairt dúinn faoi (*and they want to give us information about*)

— tá léargas spéisiúil ag an údar ar an ábhar seo (*the author has a unique perspective on this subject*) agus ba mhaith leis a thuairim a nochtadh don léitheoir (*and he wants to share his view with the reader*).

 Bunaithe ar an eolas sa sliocht thuas, luaigh **dhá** thréith phearsanta a bhain le húdar an tsleachta seo. Bíodh an freagra i d'fhocail féin. (Is leor **60** focal.) (ó 2019)

I mo bharúil is duine:

- **áthasach** é an t-údar mar is léir ón sliocht go bhfuil sé/sí sásta mar gheall ar an gcaoi a bhfuil rudaí maidir le (*the author is happy about the way things are in relation to*)

- **díograiseach** é/í an duine seo mar tá sé ag scríobh mar gheall ar an timpeallacht agus tuigeannn sé/sí cé chomh tábhachtach atá sé sin do gach éinne (*he/she is an enthusiastic person because they are writing about the environment and they understand*)

- **cróga** é/í an duine seo mar sheas sé/sí an fód ar son chearta an duine dhaonna agus is rud fíorthábhachtach é sin (*brave because she stood up for the rights of people and this is a very important thing*)

- **bródúil** atá anseo. Tá bród ag an údar as a t(h)ír dhúchais agus as a t(h)eanga dhúchais *(the author is proud of his/her native country and his/her native language)*
- **cliste** é/í an duine seo mar tá an-eolas aige/aici ar an ábhar seo agus is léir go bhfuil a c(h)umas le feiceáil ina c(h)uid taighde *(smart – they have information on this subject and his/her ability is clearly seen in the research)*.

 Bunaithe ar an eolas sa sliocht thuas, luaigh **dhá** thréith a bhain le Constance Markievicz, dar leat. Aimsigh sampla **amháin** den **dá** thréith sin sa sliocht. Bíodh an freagra i d'fhocail féin. (Is leor **60** focal.) (ó 2019)

Tréithe an duine

áthasach	*happy*	dícheallach	*diligent*	macánta	*honest*
bródúil	*proud*	díograiseach	*enthusiastic*	mífhoighneach	*impatient*
cabhrach	*helpful*	ealaíonta	*artistic*	spórtúil	*sporty*
cainteach	*talkative*	feargach	*angry*	suimiúil	*interesting*
cairdiúil	*friendly*	fial flaithiúil	*generous*	tuisceanach	*understanding*
ceolmhar	*musical*	greannmhar	*happy*		
cliste	*intelligent*	ildánach	*skilled*		
cróga	*brave*	láidir	*strong*		
cumasach	*talented*				

Seo frásaí is féidir a úsáid chun cabhrú leat na ceisteanna a fhreagairt:

F
- *Feicimid gur duine* **cróga** *í Constance Markievicz mar ghlac sí páirt in Éirí Amach na Cásca 1916* (we see that Constance Markievicz is a brave person as she took part in the 1916 Rising).
- *Ina theannta sin, is duine* **díograiseach** *í mar lean sí uirthi ag troid cé go raibh sé contúirteach di agus gur chaith sí am sa phríosún* (as well as that she is an enthusiastic person as she continued to fight even though it was dangerous and she spent time in prison).
- *Is léir mar sin ó na pointí thuasluaite gur duine* **cróga** *agus* **díograiseach** *í Constance Markievicz* (it is clear from the above points that Constance Markievicz is a brave and zealous person).

Cén seánra scríbhneoireachta lena mbaineann an sliocht seo *(what genre of writing is this extract?)* Luaigh **dhá** thréith a bhaineann leis an gcineál seo scríbhneoireachta.

Seo frásaí is féidir a úsáid chun cabhrú leat na ceisteanna a fhreagairt:

- Sliocht iriseoireachta *(journalistic extract)* atá i gceist againn anseo *(fíricí, staitisticí, go leor eolais)*
- Sliocht stáiriúil *(historic extract)* atá againn anseo *(cuntas ar thréimhse staire, fíricí, sonraí faoin am sin)*
- Sliocht faisnéiseach *(evidential extract)* atá i gceist againn anseo *(fíricí, staitisticí, go leor eolais)*
- Sliocht tuairisciúil *(opinion extract)* atá againn anseo *(tuairisc, stíl neamhphearsanta, fíricí, staitisticí, go leor eolais)*
- Sliocht tuairimíochta *(opinion extract)* atá i gceist againn anseo *(tuairimí soiléire, fíricí, go leor smaointeoireachta tugtha ag an údar)*, mar:

  — tugann an sliocht go leor fianaise dúinn ar shaol… mar shampla, tá staitisticí, blianta agus figiúirí ann… *(this extract gives us a lot of information about the life of…)*

  — ina theannta sin, tá sé lom, díreach agus simplí agus is píosa é a scríobhadh do lucht léitheoireachta an-mhór *(as well as that, it is sparse, to the point and simple)*.

 Conas a chuaigh an sliocht seo i bhfeidhm ort?

Seo frásaí is féidir a úsáid chun cabhrú leat na ceisteanna a fhreagairt:

- Mhúscail sé mo spéis sa… *(it awoke my interest in…)*
- Léirigh an sliocht seo dom… an dochar a dhéanann an truailliú don timpeallacht *(this extract showed me… the danger that pollution does to the environment)*
- Chuir sé ag machnamh mé mar gheall ar… *(it made me think about…)*
- Mhúscail an sliocht a lán mothúchán éagsúil ionam, go háirithe bród/trua/grá *(this extract awoke many different emotions in me especially pride/pity/love…)*
- Thug sé léargas dom ar shaol/ar shaothar nach raibh aon eolas agam air roimhe seo agus anois tá meas agam ar an duine sin/ar an saothar sin *(it gave me an insight into life/work that I did not have any information on previously and now I have respect for the person/work)*
- Chuir sé ar mo shúile dom cé chomh tábhachtach atá ár n-oidhreacht/taisteal sa spás/an Ghaeilge/an teicneolaíocht agus an ról lárnach atá aige inár saol *(it reminded me of the importance of our heritage/space travel/the Irish language/technology and its central role in our lives)*
- Mhothaigh mé brónach/áthasach/spreagtha nuair a léigh mé an sliocht seo mar… *(I felt sad/happy/inspired when I read this extract because…)*.

Seo roinnt alt – freagair na ceisteanna a ghabhann leis na hailt seo.

Cleachtadh 22.1

Rugadh agus tógadh an t-iar-imreoir iománaíochta do Chontae an Chláir, Antaine Ó Dálaigh, i nDroichead an Chláir sa bhliain 1969. Laoch cróga, cáiliúil is ea é a thosaigh ag imirt lena chlub áitiúil Droichead an Chláir agus é ina leaid óg. Bhuaigh sé cúig bhonn craoibhe lena chlub agus bonn amháin Chúige Mumhan. D'imir Ó Dálaigh tríocha cluiche sa chraobh le foireann an Chláir. Bhuaigh sé dhá bhonn uile Éireann mar chaptaen ar an bhfoireann agus trí cinn de bhoinn Chúige Mumhan. B'imreoir cróga, inspioráideach a bhí ann a thug óráid den scoth nuair a bhuaigh foireann an Chláir a chéad chorn uile Éireann le hochtú a haon bhliain. Cónaíonn sé i dTulach Crinn in iarthar an Chláir anois agus tá a phodchraoladh féin aige leis The Examiner.

Ceist 6A

Aimsigh na míreanna gramadaí seo a leanas:

1. Dhá shampla den Saorbhriathar san Aimsir Chaite
   (i) _____ (ii) _____
2. Dhá shampla de bhriathra san Aimsir Chaite.
   (i) _____ (ii) _____
3. Dhá shampla de bhriathra san Aimsir Láithreach
   (i) _____ (ii) _____
4. Sampla amháin den Ainm Briathartha
   _____
5. Sampla amháin den Chopail
   _____

Ceist 6B

Luaigh **dhá thréith** a bhaineann leis an imreoir cáiliúil Antaine Ó Dálaigh. Bíodh an freagra i d'fhocail féin. (Is leor **60** focal).

_____
_____
_____
_____
_____
_____
_____
_____

Cleachtadh 22.2

An teicneolaíocht i saol an ghnáthdhuine

Baineann go leor buntáistí leis an teicneolaíocht. Is féidir le duine go leor eolais a fháil ar líne faoi ábhar ar bith, ábhair scoile san áireamh. Is leabharlann é an t-idirlíon. Chomh maith leis sin is áis an-úsáideach é don chumarsáid. D'fhéadfadh duine glaoch a chur ar dhuine ar bith ar fud an domhain ó áit ar bith. Úsáideann daoine i gcomhlachtaí an fhíschomhdháil chun teagmháil a dhéanamh lena gcomhleacaithe i dtíortha eile. Ar an mbealach seo ní gá dóibh aistir fhada a dhéanamh ar fud an domhain chun bualadh lena gcomhleacaithe.

Ceist 6A

Aimsigh na míreanna gramadaí seo a leanas:

1. Dhá shampla de bhriathra san Aimsir Láithreach

   (i) _____   (ii) _____

2. Dhá shampla den urú

   (i) _____   (ii) _____

3. Dhá shampla den Ainm Briathartha

   (i) _____   (ii) _____

4. Sampla amháin den Tuiseal Ginideach Firinscneach uatha

   _____

5. Sampla amháin den Mhodh Coinníollach

   _____

Ceist 6B

Bunaithe ar an eolas sa sliocht thuas, déan plé, i d'fhocail féin ar dhá chúis ar scríobh an t-údar an sliocht seo, dar leat. Tabhair dhá fháth le do fhreagra agus bíodh an freagra i d'fhocail féin.

_____

_____

_____

_____

_____

_____

_____

_____

_____

_____

Cleachtadh 22.3

An Ghaeilge i mo shaol

Haigh, is mise Moya. Chaith mé coicís sa Ghaeltacht an samhradh seo caite. Chuaigh mé go dtí coláiste samhraidh i gConamara. D'fhan mé le clann álainn agus bhí deichniúr againn sa teach agus bhí mé ag roinnt mo sheomra le triúr eile. B'iontach an taithí é. Labhraíomar Gaeilge gach lá agus bhí cluichí spraíúla idir lámha againn gach tráthnóna. Rinneamar damhsa Gaelach chomh maith. Baintear taitneamh agus tairbhe as am a chaitheamh sa Ghaeltacht. Is féidir leat taitneamh a bhaint as cultúr agus traidisiún na hÉireann ann. Tháinig feabhas ollmhór ar mo chuid Gaeilge labhartha caithfidh mé a rá. Ba bhreá liom dul ar ais ann arís an bhliain seo chugainn.

Coláistí Chorca Dhuibhne

Ceist 6A

Aimsigh na míreanna gramadaí seo a leanas:

1. Sampla amháin den Mhodh Coinníollach

   _____

2. Sampla amháin den Chopail

   _____

3. Sampla amháin d'Aidiacht

   _____

4. Sampla amháin den Saorbhriathar san Aimsir Láithreach

   _____

5. Sampla amháin den urú

   _____

Ceist 6B

Bunaithe ar an eolas sa sliocht thuas, luaigh **dhá thréith** phearsanta a bhain le Moya i do thuairim. Bíodh an freagra i d'fhocail féin. (Is leor **60** focal.)

_____

_____

_____

_____

_____

_____

_____

Cleachtadh 22.4

Ceolchoirm ar fhreastail mé uirthi

Haigh, is mise Stefan. Anuraidh d'fhreastail mé ar cheolchoirm na Foo Fighters i mBaile Shláine. Ní chreidfeá an t-atmaisféar a bhí ann. Bhí os cionn ochtó míle duine i láthair agus ar dtús tháinig na Killers amach agus ansin Hozier. Bhí an scleondar ag ardú i rith an lae. Ansin, ar deireadh, tháinig na Foo Fighters ar an stáitse le torann nár chuala mé riamh. Ba chosúil le rabhartha mothúchán é. Bhí na Foo Fighters go hiontach. Thaitin siad go mór le mo chairde agus chuaigh sé i gcion ormsa go mór. Bhí oíche den scoth againn agus ansin fuaireamar síob abhaile ó athair mo charad. Ní dhéanfaidh mé dearmad go deo ar an lá sin. Dá mbeadh an deis agam rachainn ann arís an tseachtain seo chugainn.

Ceist 6A

Aimsigh na míreanna gramadaí seo a leanas:

1. Dhá shampla de bhriathra san Aimsir Chaite

    (i) _____ (ii) _____

2. Sampla amháin den Ainm Briathartha

    _____

3. Sampla amháin den Aimsir Fháistineach

    _____

4. Dhá shampla den Fhorainm Réamhfhoclach

    (i) _____ (ii) _____

5. Sampla amháin den Mhodh Coinníollach

    _____

Ceist 6B

Bunaithe ar an eolas sa sliocht thuas, déan plé, i d'fhocail féin, ar **dhá chúis** ar scríobh an t-údar an sliocht seo. (Is leor **60** focal.)

_____

_____

_____

_____

_____

_____

_____

Cleachtadh 22.5

Caomhnú na timpeallachta

D'fhéadfadh an dalta agus a thuismitheoirí go leor rudaí éagsúla a dhéanamh chun ár dtimpeallacht a chaomhnú. D'fhéadfadh an dalta áiteamh ar a thuismitheoirí carr leictreonach a cheannach. D'fhéadfadh an dalta a bheith ar a rothar nó siúl ar scoil dá bhféadfaí sin agus nuair nach bhféadfaí, d'fhéadfadh sé/sí an bus a thógaint. D'fhéadfadh an dalta fanacht amach ón taisteal san eitleán freisin dá bhféadfaí sin a dhéanamh. D'fhéadfaimis ar fad an teocht inmheánach a chasadh síos sa teach chomh maith leis na soilse a mhúchadh nuair nach bhfuil

éinne sa seomra. D'fhéadfadh tuismitheoirí córas inslithe níos fearr a fháil don teach freisin agus ár mbia a cheannach go háitiúil. Tá rudaí an-simplí ar fad a d'fhéadfaidís a dhéanamh sa teach mar shampla: athchúrsáil, athúsáid agus laghdú ar an gcoisrian carbóin.

Ceist 6A

Aimsigh na míreanna gramadaí seo a leanas:

1. Trí shampla den Mhodh Coinníollach

   (i) _____ (ii) _____ (iii) _____

2. Sampla amháin den Réamhfhocal Simplí

   _____

3. Dhá shampla den Ainm Briathartha

   (i) _____ (ii) _____

4. Sampla amháin den urú

   _____

5. Sampla amháin den séimhiú

   _____

Ceist 6B

Conas a chuaigh an sliocht seo i bhfeidhm ort? (Is leor **60** focal.)

_____
_____
_____
_____
_____
_____
_____

Cleachtadh 22.6

Oideachas sa tír seo

Tá athruithe tar éis teacht ar an oideachas sa tír seo le cúpla bliain anuas. Tá an teicneolaíocht mar chuid lárnach dár saol laethúil mar dhaltaí agus tá sé d'acmhainn againn eolas a fháil ar ábhar ar bith trínár bhfón póca. Tá roinnt fadhbanna ann, áfach. Tá an córas atá againn an-chostasach agus níl saoroideachas ann – tá na leabhair agus an taisteal an-chostasach ar fad do gach tuismitheoir. Ina theannta sin, tá buntáiste ag daoine a bhfuil airgead acu mar ní féidir le cuid mhaith daoine leibhéal sásúil maireachtála a bheith acu má théann siad chuig an ollscoil. Tá an táille chlárúcháin an-ard freisin.

Ceist 6A

Aimsigh na míreanna gramadaí seo a leanas:

1. Dhá shampla de bhriathra san Aimsir Láithreach

   (i) _____ (ii) _____

2. Sampla amháin d'Ainmfhocal san uimhir iolra

   _____

3. Dhá shampla den Ainm Briathartha

   (i) _____ (ii) _____

4. Dhá shampla d'Aidiachtaí ón bpíosa

   (i) _____ (ii) _____

5. Sampla amháin den Fhorainm Réamhfhoclach

   _____

Ceist 6B

Cén cineál seánra scríbhneoireachta lena mbaineann an sliocht seo? Luaigh **dhá thréith** a bhaineann leis an gcineál seo litríochta. (Is leor **60** focal.)

_____

_____

_____

_____

_____

_____

_____

_____

_____

_____

Cleachtadh 22.7

An Córas Sláinte in Éirinn

Ní féidir a shéanadh go bhfuil a lán fadhbanna sa chóras sláinte in Éirinn. Tá géarchéim maidir le haltraí agus le dochtúirí againn in Éirinn. Tuigeann altraí agus dochtúirí óga go bhfuil siad in ann pá níos airde agus coinníollacha oibre níos fearr a fháil thar lear. Imíonn siad ar an mbád bán agus cé a chuirfeadh an milleán orthu? Caithfidh go bhfuil réiteach amuigh ansin. Dá mbeadh an rialtas ábalta coinníollacha oibre níos fearr a chur ar fáil do dhochtúirí agus d'altraí d'fheabhsódh sé sin an scéal. Tá go leor oibre le déanamh ag an Roinn Sláinte chun an córas a fheabhsú agus ba cheart dóibh tús a chur leis láithreach.

Ceist 6A

Aimsigh na míreanna gramadaí seo a leanas:

1. Dhá shampla den Mhodh Coinníollach

   (i) _____   (ii) _____

2. Dhá shampla den Aimsir Láithreach

   (i) _____   (ii) _____

3. Dhá shampla den Ainm Briathartha

   (i) _____   (ii) _____

4. Dhá shampla den Réamhfhocal Simplí

   (i) _____   (ii) _____

5. Sampla amháin den Fhorainm Réamhfhoclach

   _____

Ceist 6B

Bunaithe ar an eolas sa sliocht thuas, déan plé, i d'fhocail féin ar dhá aidhm a bhí ag an údar, dar leat, nuair a scríobh sé an sliocht seo. Tabhair dhá fháth le do fhreagra agus bíodh an freagra i d'fhocail féin.

_____

_____

_____

_____

_____

_____

_____

_____

_____

Cleachtadh 22.8

An Cumann Lúthchleas Gael agus an Ghaeilge

Tacaíonn Cumann Lúthchleas Gael le cur chun cinn na Gaeilge, an damhsa Ghaelaigh, an cheoil, na hamhránaíochta agus an chultúir Ghaelaigh i gcoitinne. Chun an ról sin a chomhlíonadh tá struchtúir éagsúla i bhfeidhm ag Cumann Lúthchleas Gael. Tá Coiste Náisiúnta na Gaeilge lonnaithe i bPáirc an Chrócaigh chun polasaí a fhorbairt chun an Ghaeilge a chur chun cinn go praiticiúil i gcomhar leis an Oifigeach Gaeilge. Foilsíodh Straitéis Chumann Lúthchleas Gael don Ghaeilge ag Comórtas Peile na Gaeltachta i mí an Mheithimh 2019. Tá Oifigeach Forbartha Gaeilge lánaimseartha ann a chuireann an Ghaeilge chun cinn sa Chumann go náisiúnta. Tá Oifigeach Gaeilge lánaimseartha i gcúige Uladh, freisin. Tá coistí i ngach contae agus i ngach cúige. Tá sé de dhualgas ar gach club sa tír Oifigeach Gaeilge/Cultúir a cheapadh.

Ceist 6A

Aimsigh na míreanna gramadaí seo a leanas:

1. Dhá shampla den Aimsir Láithreach

   (i) _____ (ii) _____

2. Dhá shampla den Tuiseal Ginideach firinscneach uatha

   (i) _____ (ii) _____

3. Dhá shampla den urú

   (i) _____ (ii) _____

4. Sampla amháin den Saorbhriathar san Aimsir Chaite

   _____

5. Sampla amháin d'Ainmfhocal sa Tuiseal Ginideach baininscneach uatha

   _____

Ceist 6B

Scríobh síos dhá ábhar spéisiúla a luaitear sa sliocht agus breac síos **dhá fháth** a bhfuil sé spéisiúil duit. (Is leor **60** focal.)

_____

_____

_____

_____

_____

_____

_____

_____

_____

Cleachtadh 22.9

Turas go dtí an Spáinn

Haigh, is mise Mícheál. Chuamar ar fad mar chlann ar ár gcuid laethanta saoire go dtí an Spáinn anuraidh. Bhí an ghrian ag scoilteadh na gcloch gach lá agus d'fhanamar in ostán ceithre réalta in aice na trá in Valencia. Caithfidh mé a adhmháil nach bhfaca mé áit cosúil leis riamh. Bhí an tseanchathair an-spéisiúil agus chuamar ann gach oíche le haghaidh béile. Tá an t-uisceadán is mó san Eoraip sa tseanchathair. Bhí gach saghas iasc ann cosúil le siorc agus deilf más buan mo chuimhne. Is é ceann de na háiteanna is spéisiúla dá bhfaca mé riamh. Ba bhreá liom dul ar ais ann arís sa todhchaí.

Ceist 6A

Aimsigh na míreanna gramadaí seo a leanas:

1. Dhá shampla de bhriathra Aimsir Chaite

   (i) _____ (ii) _____

2. Sampla amháin den Tuiseal Ginideach iolra

   _____

3. Sampla amháin den Mhodh Coinníollach

   _____

4. Dhá shampla den Chopail

   (i) _____ (ii) _____

5. Sampla amháin de bhriathar san Aimsir Fháistineach

   _____

Ceist 6B

Bunaithe ar an eolas sa sliocht thuas, déan plé, i d'fhocail féin, ar **dhá aidhm** a bhí ag údar an tsleachta seo. (Is leor **60** focal.)

_____

_____

_____

_____

_____

_____

_____

_____